Littératie en action

DIRECTEUR DE COLLECTION POUR L'ÉDITION FRANÇAISE

Léo-James Lévesque

AUTEURS DE L'ÉDITION ORIGINALE

Arnold Toutant
Sharon Jeroski

Chris Atkinson
Jean Bowman
Rick Chambers
Cathy Costello
Richard Davies
Susan Doyle
Kathleen Gregory
Raymond Lavery
Suzanne Leblanc-Healey
Ken Pettigrew
Tamar Stein
Dirk Verhulst
Sylvie Webb
Jerry Wowk

Centre éducatif de la Faculté d'éducation
Université d'Ottawa - University of Ottawa
Educational Centre of the Faculty of Education

5757, RUE CYPIHOT, SAINT-LAURENT (QUÉBEC) H4S 1R3
TÉLÉPHONE : 514 334-2690   TÉLÉCOPIEUR : 514 334-4720
erpidlm@erpi.com

POUR L'ÉDITION FRANÇAISE

Directrice à l'édition
Linda Tremblay

Traductrice
Monique Lanouette

Chargée de projet
Mélanie D'Amours

Réviseure linguistique
Madeleine Dufresne

Correcteurs d'épreuves
Pierre-Yves L'Heureux
Marie Théorêt

Recherchiste (photos et droits)
Marie-Chantal Masson

Directrice artistique
Hélène Cousineau

Coordonnatrice aux réalisations graphiques
Sylvie Piotte

Couverture
Benoit Pitre

Édition électronique
Valérie Deltour

POUR L'ÉDITION ORIGINALE

Chef d'équipe
Anita Borovilos

Éditrices
Susan Green
Elynor Kagan

Chefs de produit
Deborah Nelson
Paula Smith

Directrices de rédaction
Angelie Kim
Monica Schwalbe

Directeurs de la recherche et du développement
Chelsea Donaldson
Anne MacInnes
Ed O'Connor

Coordonnateurs de la production
Alison Dale
Zane Kaneps

Coordonnatrice industrielle en chef
Jane Schell

Coordonnatrice industrielle
Karen Alley

Directrice artistique
Zena Denchik

Graphistes
Word & Image Design

Recherchistes photos
Natalie Barrington
Mary Rose MacLachlan

Vice-président, édition et marketing
Mark Cobham

REMERCIEMENTS

POUR L'ÉDITION FRANÇAISE

L'éditeur remercie les personnes suivantes pour leurs commentaires judicieux au cours de l'élaboration de cet ouvrage :

Johanne Austin, agente pédagogique, School district 6 de Rothesay, N.-B.

Jean-Claude Bergeron, conseiller pédagogique en immersion, 7e-12e année, ministère de l'Éducation de la Nouvelle-Écosse.

Gilles Desharnais, professeur de géographie, Collège Laval, Qc.

Alicia Logie, conseillère pédagogique, conseil scolaire de Surrey, C.-B.

Karen Olsen, conseillère pédagogique pour le français et les langues du patrimoine, écoles publiques de Regina, Sask.

Brian Svenningsen, conseiller pédagogique, Toronto District School Board, Ont.

Diane Tijman, coordonnatrice des programmes d'études en langues, Richmond School Board, C.-B.

Nathalie Wall, enseignante, Ottawa Catholic School Board, Ont.

POUR L'ÉDITION ORIGINALE

Consultants pour la collection

Andrea Bishop

Faye Brownlie

Caren Cameron

Maria Carty

Robert Cloney

Catherine Costello

Christine Finochio

Pat Horstead

Don Jones

Sherri Robb

Réviseurs scientifiques

Barbara Boate

Adolfo Diiorio

Ken Ealey

Deborah Kekewich

Catherine Little

Chris McKeon

Yaw Obeng

Susan Pleli

Sheila Staats

Connie Warrender

TABLE DES MATIÈRES

MODULE 5

Des gens remarquables !　46

VUE D'ENSEMBLE

LE DÉBUT D'UN MODULE

Chaque module s'ouvre avec une **photo** ou une **illustration** qui invite à la discussion.

Le **titre du module** annonce le thème abordé.

Une **question** oriente ta réflexion sur le thème.

Les **objectifs d'apprentissage** donnent un aperçu des activités proposées dans le module, du genre de texte à l'étude, des habiletés et des stratégies ciblées.

LA PRÉSENTATION DU THÈME

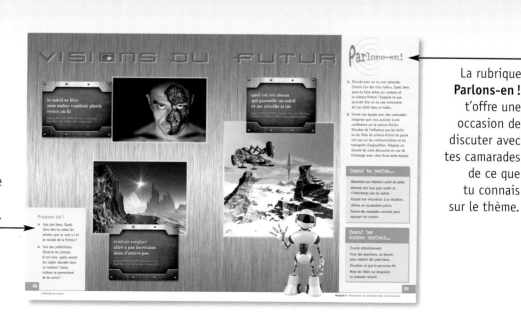
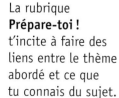

La rubrique **Parlons-en !** t'offre une occasion de discuter avec tes camarades de ce que tu connais sur le thème.

La rubrique **Prépare-toi !** t'incite à faire des liens entre le thème abordé et ce que tu connais du sujet.

LA LECTURE

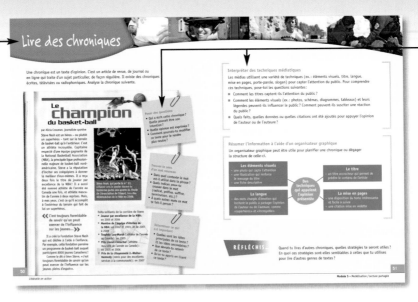

La section **Lire des...** te permet de t'initier au genre de texte à l'étude dans le module.

Dans chaque module, des **stratégies de lecture** sont ciblées.

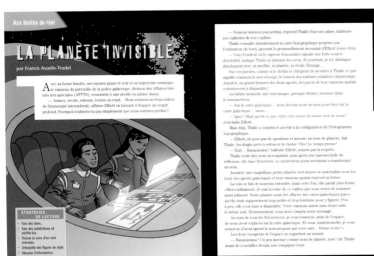

Pendant la **lecture partagée**, ton enseignant ou ton enseignante lit un texte et modélise la façon de mettre en pratique les stratégies de lecture ciblées.

Pendant la **pratique guidée**, tu lis un des textes proposés avec des camarades et tu mets en application les stratégies de lecture ciblées.

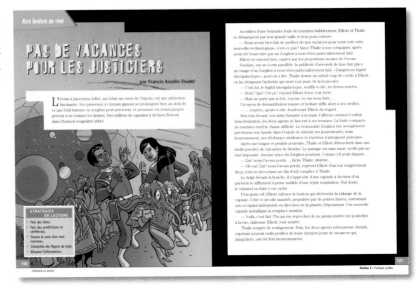

Pendant la **pratique coopérative ou autonome**, tu lis un texte plus long, individuellement ou avec un ou une camarade, en mettant en pratique les stratégies apprises.

La rubrique **Réagis au texte** te permet de vérifier ta compréhension du texte lu. Des tâches sont proposées afin de te permettre d'**enrichir ton vocabulaire.**

Dans la rubrique **Coffre à outils**, tu as l'occasion de faire des tâches en écriture, en communication orale ou en littératie médiatique.

L'ÉCRITURE

Une **situation d'écriture** est proposée. D'un module à l'autre, tu écriras un texte pour informer, convaincre, exprimer tes sentiments, etc.

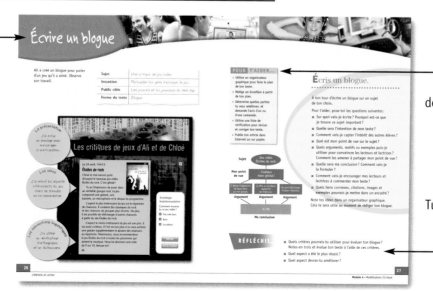

Pour accomplir ta tâche, des trucs te sont donnés dans la rubrique **Pour t'aider...**

Tu évalues ensuite ton travail à l'aide de la rubrique **Réfléchis...**

LA POÉSIE

Dans chaque module, un **poème** ou une **chanson**
en lien avec le thème est proposé.

LA COMMUNICATION ORALE ET LA LITTÉRATIE MÉDIATIQUE

Tu as l'occasion de faire un **projet en
communication orale** et un **projet en littératie
médiatique** par module. Pour te guider,
une démarche et des trucs te sont proposés.

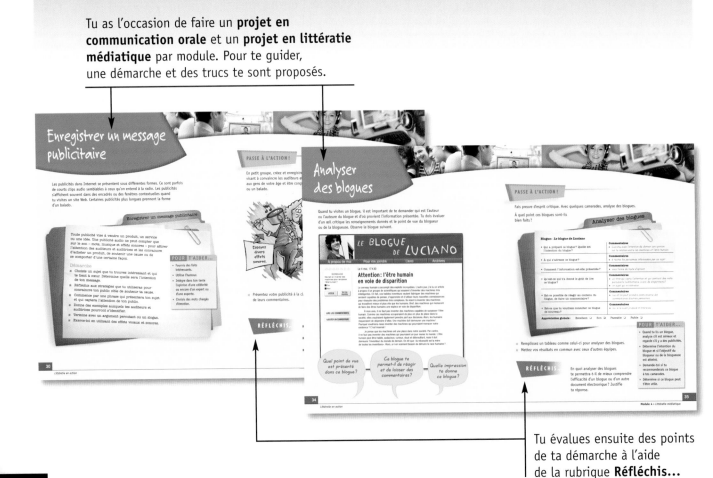

Tu évalues ensuite des points
de ta démarche à l'aide
de la rubrique **Réfléchis...**

L'INTÉGRATION ET LE RÉINVESTISSEMENT

Différents genres de textes (narratif, informatif)
sont proposés pour te permettre de réinvestir les stratégies
que tu as apprises dans d'autres modules et les nouvelles
stratégies que tu viens de mettre en application.

Dans la rubrique **Comparer des textes**, tu as l'occasion de comparer le texte lu avec d'autres textes qui portent sur le même sujet.

La section **À l'œuvre !** te propose une tâche d'évaluation. La tâche combine l'écriture, la lecture et la communication orale et comporte une démarche. Elle est toujours en lien avec le thème.

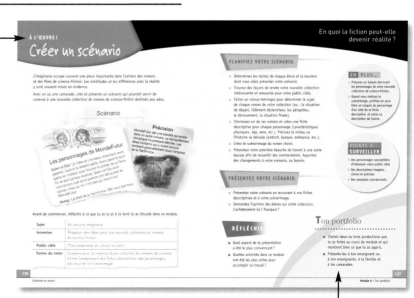

Dans cette section, tu choisis également les productions que tu ajouteras à ton **portfolio**.

Vivre dans un monde branché

Quels usages peux-tu faire d'Internet ?

Objectifs d'apprentissage

Dans ce module, tu vas faire les tâches suivantes :

- écouter et lire des textes informatifs sur l'utilité d'Internet, et en discuter ;

- utiliser des stratégies pour lire des blogues, un rapport de recherche, une marche à suivre, un poème, un reportage, un journal et un récit de science-fiction ;

Littératie en action

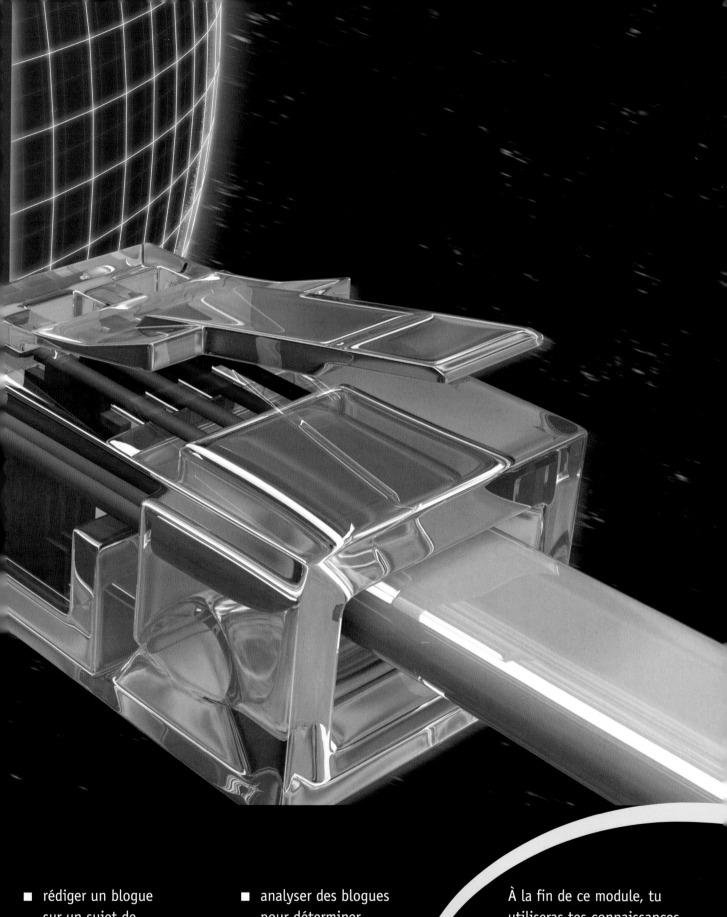

- rédiger un blogue
  sur un sujet de
  ton choix;

- analyser des blogues
  pour déterminer
  leur efficacité.

À la fin de ce module, tu
utiliseras tes connaissances
pour créer un guide à
l'usage des internautes.

Découvrir le monde du Web

Prépare-toi !

- Fais des liens. À quelles situations les photos te font-elles penser ? Comment utilises-tu Internet ?

- Pose des questions. Qu'aimerais-tu apprendre au sujet d'Internet ?

Parlons-en!

1. Discute avec un ou une camarade. À partir d'une de ces photos, explique ce que tu peux faire grâce à Internet. Compare tes compétences et tes connaissances avec celles de ton ou de ta camarade. En quoi vos habiletés et connaissances sont-elles semblables? En quoi sont-elles différentes?

2. Forme une équipe avec des camarades. Imaginez que vous devez participer à la conception de la page d'accueil du site Web de votre école. Qu'est-ce que cette page devrait contenir?

Quand tu parles...

Emploie les mots justes et appropriés.

Capte et soutiens l'attention de ton auditoire.

Parle assez fort et avec expression.

Pose des questions et reformule certaines idées pour t'assurer de la compréhension de tes camarades.

Quand les autres parlent...

Accorde une attention soutenue à la personne qui parle.

Pose des questions, au besoin.

Respecte les idées et le point de vue des autres.

Associe les gestes et les expressions faciales aux paroles.

Relève et retiens les idées principales.

Lire des blogues

Des millions de personnes dans le monde utilisent Internet pour s'exprimer. Un blogue est un texte d'opinion en ligne. Les gens créent des blogues, des sites Web et des balados pour présenter leurs opinions et leurs idées sur un thème ou un sujet donné. Analyse le blogue suivant.

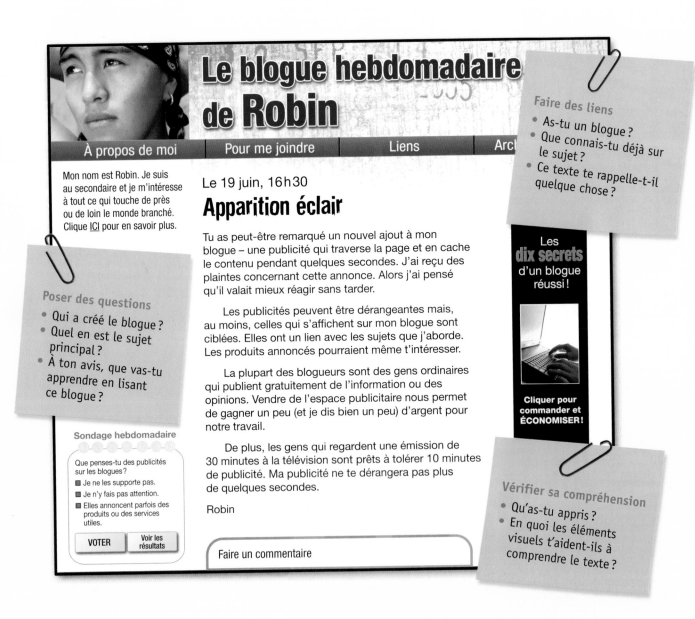

Le blogue hebdomadaire de Robin

| À propos de moi | Pour me joindre | Liens | Arch |

Mon nom est Robin. Je suis au secondaire et je m'intéresse à tout ce qui touche de près ou de loin le monde branché. Clique <u>ICI</u> pour en savoir plus.

Faire des liens
- As-tu un blogue ?
- Que connais-tu déjà sur le sujet ?
- Ce texte te rappelle-t-il quelque chose ?

Le 19 juin, 16 h 30
Apparition éclair

Tu as peut-être remarqué un nouvel ajout à mon blogue – une publicité qui traverse la page et en cache le contenu pendant quelques secondes. J'ai reçu des plaintes concernant cette annonce. Alors j'ai pensé qu'il valait mieux réagir sans tarder.

Les publicités peuvent être dérangeantes mais, au moins, celles qui s'affichent sur mon blogue sont ciblées. Elles ont un lien avec les sujets que j'aborde. Les produits annoncés pourraient même t'intéresser.

La plupart des blogueurs sont des gens ordinaires qui publient gratuitement de l'information ou des opinions. Vendre de l'espace publicitaire nous permet de gagner un peu (et je dis bien un peu) d'argent pour notre travail.

De plus, les gens qui regardent une émission de 30 minutes à la télévision sont prêts à tolérer 10 minutes de publicité. Ma publicité ne te dérangera pas plus de quelques secondes.

Robin

Poser des questions
- Qui a créé le blogue ?
- Quel en est le sujet principal ?
- À ton avis, que vas-tu apprendre en lisant ce blogue ?

Sondage hebdomadaire

Que penses-tu des publicités sur les blogues ?
- ☐ Je ne les supporte pas.
- ☐ Je n'y fais pas attention.
- ☐ Elles annoncent parfois des produits ou des services utiles.

[VOTER] [Voir les résultats]

Les **dix secrets** d'un blogue réussi !

Cliquer pour commander et ÉCONOMISER !

Vérifier sa compréhension
- Qu'as-tu appris ?
- En quoi les éléments visuels t'aident-ils à comprendre le texte ?

Faire un commentaire

Évaluer le message

Quand tu évalues le contenu d'un blogue, il faut aussi que tu prêtes attention aux encadrés. Les encadrés sont des colonnes de texte placées sur le côté d'une page Web ou d'un blogue. On y trouve souvent des éléments d'information qui appuient ou complètent le contenu principal. Pour évaluer le contenu d'un blogue, pose-toi les questions suivantes :

- Quels renseignements puis-je trouver sur l'auteur ou l'auteure ?
- Ses coordonnées sont-elles fournies ? Elles peuvent indiquer si l'information est fiable.
- Y a-t-il des exemples ou des illustrations ? Quels liens ont-ils avec le texte ? Donnent-ils des renseignements supplémentaires ?
- Y a-t-il des liens vers d'autres sites ?
- Y a-t-il des publicités ? Y a-t-il des sondages d'opinion ?
- Que penses-tu de l'opinion de l'auteur ou de l'auteure ?

Résumer l'information à l'aide d'un organisateur graphique

Un organisateur graphique est utile pour résumer l'information fournie dans un blogue ou dans un texte d'opinion.

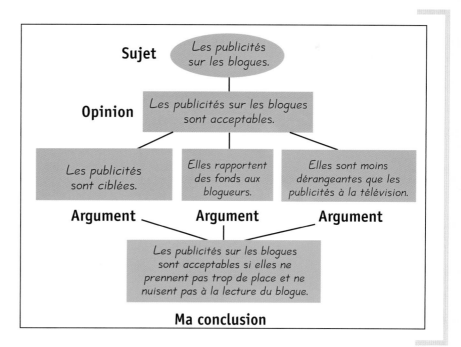

RÉFLÉCHIS... Quand tu liras d'autres blogues, quelles stratégies te seront utiles ? En quoi ces stratégies sont-elles semblables à celles que tu utilises pour lire d'autres genres de textes ?

Le blogue de Sarah

Nom d'utilisateur

Mot de passe

CONNEXION

À propos de moi

Bonjour, je m'appelle Sarah. Les gens utilisent Internet pour se faire connaître ou promouvoir leurs produits et leurs idées. Sur mon blogue, j'exprime mon opinion sur ce sujet.

Archives

Liens

STRATÉGIES DE LECTURE

- Pose des questions.
- Fais des liens.
- Vérifie ta compréhension.
- Évalue le message.
- Résume l'information.

Le 7 mars, 18h15

L'*astroturfing*: prudence !

J'utilise Internet tous les jours. Par exemple, hier, je voulais me renseigner sur les chaussures de course. Alors, j'ai participé à un **forum électronique** pour les coureurs afin d'avoir des suggestions. J'ai reçu une recommandation qui me semblait intéressante d'un certain Steve-O. Aujourd'hui, je me demande si cette personne existe vraiment ou si elle fait partie d'une campagne d'*astroturfing* qui aurait été lancée par l'entreprise de chaussures pour m'inciter à acheter cette marque.

Pour ceux qui ne connaissent pas l'*astroturfing*, c'est une technique de marketing. Une entreprise publie des commentaires positifs sur son propre produit et présente ces commentaires comme s'ils venaient de consommateurs comme toi et moi.

La plupart des gens s'entendent pour dire que cette pratique ne devrait pas être permise au Canada. En fait, j'ai découvert qu'elle est interdite par le code d'éthique de la Société canadienne des relations publiques (SCRP). Certains diront que l'*astroturfing* pratiqué à petite échelle – par exemple, faire une fausse critique d'un livre que tu n'as pas lu, une cotation de tes propres vidéos en ligne, et ce genre de choses – n'est pas bien grave. Je ne suis pas d'accord. Ce qui est valable pour les entreprises l'est aussi pour les particuliers. Et Steve-O ? Si tu lis mon blogue, j'espère que tu ne fais pas partie de ce genre de campagne.

À bientôt,

Sarah

cybernaute **blogueuse** **Joueur**

Forums des coureurs

Fichier Édition Affichage Favoris Outils Aide

Adresse | Liens »

ACCUEIL | FORUM DE BAVARDAGE | FORUM ÉLECTRONIQUE | TROUVER UN GROUPE | CRÉER UN GROUPE | BLOGUE

- NOUVEAUX PARCOURS
- PROCHAINES COURSES
- MON ENTRAÎNEMENT
- ÉVÉNEMENTS
- COMMUNAUTÉ
- ANECDOTES ET PHOTOS
- ESPACE DES MEMBRES

FORUM ÉLECTRONIQUE

< 1 ...7 8 9 10 11 12 >

Steve-O 6 mars

Les chaussures Stream sont les meilleures, surtout les modèles multidisciplinaires. Elles laissent respirer les pieds, elles soutiennent bien l'arche et elles ont une allure du tonnerre. En plus, les prix sont raisonnables. N'hésite pas à aller voir leur site Internet : je suis certain que tu vas les adorer !

Sarah 6 mars

Bonjour, tout le monde. Je suis à la recherche d'une bonne paire de chaussures de course. J'utilise actuellement des chaussures multidisciplinaires, mais j'ai besoin de chaussures faites spécialement pour la course, et surtout pour l'asphalte. Je veux des chaussures durables qui vont me donner un bon support.

Internet

Commentaires

Tout n'est pas rose dans le monde du Web.
Il ne faut pas croire tout ce qu'on nous présente en ligne.
Pablo

J'ai déjà utilisé cette technique afin de promouvoir la vidéo de mon groupe musical. Tout le monde le fait ! Ça aide les personnes indécises à prendre une décision en leur donnant accès à de l'information. Ce n'est pas grave.
Zap52

SONDAGE

Fais-tu confiance aux recommandations de produits que tu lis en ligne ?

☐ **Oui**

☐ **Non**

VOTER

L'ASTROTURFING

Voici des exemples d'*astroturfing* :

- des critiques positives d'un livre faites en ligne par l'auteur ou l'auteure ou des amis de cette personne ;

- de faux blogues dans lesquels les auteurs et auteures sont payés par une entreprise (sans le dire) ;

- des gens qui participent à des clavardoirs (appelés aussi **forums de bavardage**) ou à des forums électroniques sans révéler qu'ils sont payés pour exprimer une opinion sur un produit.

Forum électronique : groupe de discussion formé d'internautes qui échangent en différé des idées sur un sujet donné.

Forum de bavardage : groupe de discussion formé d'internautes qui échangent des idées sur un sujet donné en temps réel.

Le blogue de Sarah

Nom d'utilisateur

Mot de passe

CONNEXION

À propos de moi

Bonjour, je m'appelle Sarah. Les gens utilisent Internet pour se faire connaître ou promouvoir leurs produits et leurs idées. Sur mon blogue, j'exprime mon opinion sur ce sujet.

Archives

Liens

STRATÉGIES DE LECTURE

- Pose des questions.
- Fais des liens.
- Vérifie ta compréhension.
- Évalue le message.
- Résume l'information.

Le 14 mars, 19h10

Avis aux jeunes consommateurs

Je suis un peu en retard aujourd'hui. J'ai dû négocier avec mon petit frère pour avoir accès à l'ordinateur. Il est obsédé par un de ces sites Web qui s'adressent aux enfants. C'est un **terrain de jeu virtuel**. Malheureusement, je dois presque l'arracher du clavier quand son temps est écoulé.

Ma mère paie un abonnement mensuel qui permet à mon frère d'avoir accès au site *Ami des bêtes*. C'est un site sans publicité et sécuritaire pour les enfants. Cependant, la partie préférée de Zach dans ce jeu est l'*achat* d'articles pour le personnage qu'il a *adopté*. Il peut acheter n'importe quoi, de la nourriture jusqu'aux meubles. Il est déjà en train d'apprendre à magasiner jusqu'à épuisement, et il n'a que sept ans ! Les gens qui commercialisent ce jeu sont innovateurs, mais à mon avis ce n'est pas correct.

Si les publicités dans le site étaient évidentes et explicites, je pourrais expliquer à mon frère qu'elles ont été conçues pour le convaincre d'acheter ces objets. Mais c'est plus difficile d'expliquer à un enfant de sept ans que le terrain de jeu virtuel qu'il aime tant n'est en fait qu'un plan de marketing à grande échelle.

À bientôt,

Sarah

SONDAGE

Les entreprises devraient-elles avoir le droit de commanditer des sites Web destinés aux enfants ?

☐ Oui

☐ Non

VOTER

Commentaires

Mon petit frère s'amuse pendant des heures à ce jeu en ligne. Ça l'occupe. Pendant ce temps, il n'est pas dans ma chambre ! J'adore !

Aditou

Les jeunes consommateurs doivent apprendre à dire non à la publicité. Les parents ont un rôle important à jouer. Il faut convaincre les jeunes d'adopter de saines habitudes de vie, d'être écoresponsables et de faire des achats responsables aussi !

Zoëatout

LES MONDES VIRTUELS

J'ai observé le fonctionnement de ces mondes virtuels. Voici ce que j'ai remarqué :

- ils donnent aux enfants l'impression de faire partie d'un club ;
- ils proposent beaucoup de jeux et d'activités ;
- ils offrent la possibilité de gagner des prix ;
- ils suscitent chez les enfants une bonne impression sur un produit ou une marque.

Terrain de jeu virtuel : site en ligne où les enfants peuvent interagir avec d'autres enfants.

Le blogue de Sarah

À propos de moi

Bonjour, je m'appelle Sarah. Les gens utilisent Internet pour se faire connaître ou promouvoir leurs produits et leurs idées. Sur mon blogue, j'exprime mon opinion sur ce sujet.

Archives

Liens

Le 22 mars, 17h45

La ludopublicité : une menace pour le marché des jeux vidéo

Alors que je jouais en ligne l'autre jour, j'étais étonnée du nombre de **marques de commerce** qui apparaissaient. Si, comme moi, tu aimes les jeux en ligne, tu sais ce que je veux dire. La ludopublicité, c'est lorsqu'une entreprise utilise le jeu vidéo comme environnement promotionnel. À mon avis, certaines formes de ludopublicité sont nettement plus dérangeantes que d'autres.

C'est vrai que la ludopublicité peut parfois rendre un jeu plus intéressant. Par exemple, jouer une partie de baseball dans un vrai stade avec une équipe qui existe vraiment peut rendre l'expérience plus réaliste.

Mais je pense qu'on exagère dans certains cas. Plusieurs jeux sont devenus de véritables messages publicitaires visant à nous vendre un téléphone cellulaire ou une marque de voiture. Qui veut payer pour un jeu et découvrir ensuite qu'il est rempli de publicités ?

Voici ce que je crois : les publicitaires paient les concepteurs de jeux vidéo pour que leurs marques apparaissent dans les jeux. Je peux le comprendre. Mais les concepteurs devraient donner priorité au jeu d'abord et à la publicité ensuite. Si les gens arrêtent de jouer à ces jeux parce qu'ils sont remplis de publicités, tout le monde y perdra : les joueurs, les publicitaires et les concepteurs.

À bientôt,

Sarah

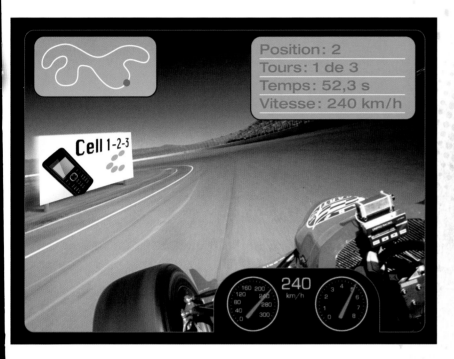

SONDAGE

Accepterais-tu de payer plus cher pour un jeu sans publicité ?

☐ **Oui**

☐ **Non**

VOTER

LA LUDOPUBLICITÉ

J'ai remarqué trois types de ludopublicités :

- les minijeux en ligne offerts gratuitement dans les sites Web des entreprises ;
- les jeux hors ligne offerts gratuitement à l'achat d'un produit (ex. : des céréales) ;
- la mise en évidence de produits dans les jeux, comme des panneaux publicitaires ou des devantures de magasin en arrière-plan, ou des marques de produits utilisées par les personnages.

  ## Commentaires

Des publicités intégrées dans les jeux en ligne ? Bientôt, on aura de la pub dans nos rêves pendant qu'on dort ! C'est complètement ridicule !

Androïde22

Il devrait y avoir une réglementation pour empêcher ce genre d'exploitation. Les grandes entreprises ciblent directement les jeunes de notre société et nous ne faisons rien pour les en empêcher. Nous devons réagir !

Zorro67

> **Marque de commerce :** produit affichant l'étiquette du concepteur ou d'une entreprise.

Le blogue de Sarah

Nom d'utilisateur

Mot de passe

CONNEXION

À propos de moi

Bonjour, je m'appelle Sarah. Les gens utilisent Internet pour se faire connaître ou promouvoir leurs produits et leurs idées. Sur mon blogue, j'exprime mon opinion sur ce sujet.

Archives

Liens

STRATÉGIES DE LECTURE

- Pose des questions.
- Fais des liens.
- Vérifie ta compréhension.
- Évalue le message.
- Résume l'information.

Le 2 avril, 17h37

Le **typosquattage** : au royaume des publicités

Mon père s'est installé à l'ordinateur aujourd'hui pour chercher le site Web de Techi-Mart, un magasin d'électronique. Il a par erreur tapé la mauvaise lettre, et voici ce qu'il a obtenu (voir à la page suivante).

On voit tout de suite que ce n'est pas le site d'un vrai magasin. Il s'agit en fait d'un site fictif rempli de publicités et de liens vers encore d'autres publicités. Je me suis demandé si cela se produisait souvent. Alors, j'ai décidé de faire ma petite enquête sur le sujet.

Le typosquattage est un phénomène très répandu. Les gens achètent les droits pour utiliser un **nom de domaine** graphiquement semblable au nom d'un site Web populaire, puis ils créent un site fictif. Chaque fois qu'une personne se trompe en tapant l'adresse du site réel, elle cybersurfe… jusqu'au royaume des publicités ! Et si cette personne clique sur un des liens, le concepteur du site reçoit un montant d'argent de la compagnie publicitaire !

Selon moi, ces sites sont comme les chaînes de télévision qui vendent des produits toute la journée – faciles à éviter. Pour ne pas tomber dans un site de typosquattage, il suffit d'entrer un mot clé dans un moteur de recherche au lieu de taper l'adresse dans la barre prévue à cette fin.

À bientôt,

Sarah

Techi-Mark

Le produit qu'il vous faut, au moment où vous en avez besoin !

Anglais ⌄

RECHERCHER

▶ **Loisirs**
- Jeux
- Musique
- Billets de cinéma

▶ **Électronique**
- Cellulaires
- Sonneries
- Lecteurs MP3

▶ **Animaux**
- Nourriture
- Jeux et
  accessoires
- Produits
  d'hygiène

▶ **Voyages**
- Vols
- Hôtels
- Location
  de voitures

Recherches connexes: Téléviseurs | Ordinateurs | Appareils photo | Disques DVD

Internet 🌐

✉️ ✏️ Commentaires

Les typosquatteurs créent et achètent des noms de domaine qui ressemblent à ceux de sites très fréquentés dans l'espoir que des internautes atterrissent chez eux à cause d'une faute de frappe. Souvent, ces pirates informatiques volent des renseignements personnels des internautes.

Labelle

Les extensions de noms de domaine se multiplient. Il devient difficile de prévoir toutes les fautes de frappe possibles... Alors, nous sommes à la merci de ces escrocs ! Faisons preuve de vigilance !

Charlot1895

SONDAGE

Le typosquattage devrait-il être considéré comme illégal ?

☐ **Oui**

☐ **Non**

 VOTER

LA PUBLICITÉ DANS INTERNET

À ton avis, comment fonctionne la publicité dans Internet ? Voici ce que j'ai trouvé.

- Chaque fois qu'une personne clique sur une publicité en ligne, l'entreprise remet un montant d'argent au propriétaire du site Web.

- Le pourcentage de visiteurs et visiteuses qui cliquent sur la publicité s'appelle le *taux de clics*.

- Les bandeaux publicitaires et les fenêtres qui s'ouvrent automatiquement ont un taux de clics plutôt faible. C'est pourquoi les entreprises sont constamment à la recherche de nouvelles façons d'attirer notre attention.

Nom de domaine : première partie de l'adresse d'un site Web qui identifie l'ordinateur ou le serveur à l'origine du site.

Le blogue de Sarah

Nom d'utilisateur

Mot de passe

CONNEXION

À propos de moi

Bonjour, je m'appelle Sarah. Les gens utilisent Internet pour se faire connaître ou promouvoir leurs produits et leurs idées. Sur mon blogue, j'exprime mon opinion sur ce sujet.

Archives

Liens

STRATÉGIES DE LECTURE

- Pose des questions.
- Fais des liens.
- Vérifie ta compréhension.
- Évalue le message.
- Résume l'information.

Le 31 mars, 18h13

Les fraudes en ligne : non aux concours !

L'autre jour, j'ai demandé à ma mère si je pouvais participer à un concours en ligne. On m'offrait la possibilité de gagner un téléviseur à écran géant. Je n'ai jamais rien gagné de ma vie, et ça commence à m'énerver. Ça devrait être mon tour, non ? Mais ma mère ne voit pas les choses de la même façon. Elle m'a donné sa réponse habituelle : pas question, car il faudrait fournir des renseignements personnels en ligne.

J'ai remarqué qu'il y a une grande différence entre la manière de penser des enfants et celle des parents sur ce sujet. À mon avis, il faut faire preuve de prudence quand on donne des renseignements personnels, mais je ne vois pas de problème s'il s'agit d'un véritable concours.

Cela ne me dérange pas de fournir quelques renseignements sur moi pour y participer. Mais selon ma mère, ces concours et les autres offres en ligne ont pour seul objectif d'obtenir des renseignements personnels. Elle dit qu'on ne sait jamais comment cette information sera utilisée, ou qui pourra y avoir accès. D'après elle, il peut s'agir d'**hameçonnage** en vue d'un vol d'identité. Ce qui ressemble à une véritable entreprise pourrait bien ne pas l'être du tout. Ma mère est assez compréhensive, mais elle ne cédera pas sur ce point.

Donc, j'imagine que je vais devoir attendre encore un peu avant de gagner le gros lot.

À bientôt,

Sarah

PUBLICITÉ

GAGNEZ
un téléviseur à écran géant de CLAIRE-TV!

Claire-TV

Cliquer pour gagner

  Commentaires

Il faut continuer à parler de fraude en ligne !
À l'ère du commerce électronique, on ne doit pas
se laisser avoir par l'illusion de protection lors des
transactions commerciales en ligne. Peut-être que
PERSONNE ne gagnera JAMAIS ce téléviseur.
Dénonçons les fraudes électroniques !
CtaC

 J'ai entendu parler d'une fraude en ligne qui aurait
fait 625 victimes au Canada. Les victimes reçoivent
un coup de fil ou un courriel qui semble provenir
d'un proche qui se dit en difficulté et qui demande
un transfert d'argent. Ces fraudeurs deviennent
de plus en plus habiles, et il faut se méfier.
Carl78

LES FRAUDES EN LIGNE

Les fraudes en ligne sont
nombreuses. Voici comment
tu peux les repérer :

- Si tu reçois un courriel
  t'annonçant que tu as gagné
  un concours auquel tu n'as
  pas participé, méfie-toi.

- Si, pour participer à un
  concours, tu dois fournir
  des renseignements
  personnels, ne le fais pas.

- Dans un vrai concours,
  on ne te demanderait pas
  d'envoyer de l'argent pour
  recevoir ton prix.

Hameçonnage : action de tenter
d'obtenir des renseignements
personnels en ligne, comme un mot
de passe, en utilisant le nom d'une
entreprise reconnue.

RAPPORT DE RECHERCHE

L'UTILISATION D'INTERNET PAR LES JEUNES CANADIENS ET CANADIENNES

par Guillaume Miszczak

Juin 2010

Prépare-toi !

- Fais des prédictions. Selon toi, quelle utilisation d'Internet font les jeunes Canadiens et Canadiennes ?

- Pose des questions. Qu'aimerais-tu savoir au sujet de l'utilisation que les jeunes Canadiens et Canadiennes font d'Internet ? Quelles questions te poses-tu à ce sujet ?

Internet occupe une place importante dans la vie des jeunes Canadiens et Canadiennes. C'est pourquoi le gouvernement canadien a financé plusieurs études au cours des 10 dernières années sur l'utilisation de ce réseau informatique dans les foyers canadiens. En menant ces études, les chercheurs et chercheuses sont arrivés à des conclusions intéressantes.

Dans une première étude[1], Statistique Canada a posé aux parents des questions au sujet des activités Internet des enfants et des adolescents. Ainsi, on a pu déterminer certaines tendances. Dans une autre étude[2], menée en deux phases par le Réseau Éducation-Médias, les chercheurs et chercheuses ont voulu

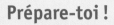

connaître les tendances des familles canadiennes ainsi que l'attitude et la perception des parents relativement à la sécurité du réseau. Les parents ont été invités à donner leur opinion sur les mesures possibles pour améliorer la qualité de l'expérience des jeunes avec cette technologie. Les résultats de ces recherches sont révélateurs et nous amènent à réfléchir aux changements à apporter pour protéger les jeunes internautes contre des dangers potentiels.

MÉTHODOLOGIE : LA COLLECTE DES DONNÉES

Statistique Canada a commencé à recueillir des données sur l'utilisation d'Internet dans les foyers canadiens à partir de l'année 2000. Environ 25 000 adultes vivant dans toutes les provinces et tous les territoires canadiens ont été interrogés. Les données recueillies ont permis aux chercheurs et chercheuses de comparer les différentes tendances d'utilisation d'Internet chez les jeunes Canadiens et Canadiennes de 5 à 18 ans.

Parallèlement à cette étude, la première phase de l'étude du Réseau Éducation-Médias a permis de connaître la nature, la sécurité et la valeur des activités en ligne des jeunes de 6 à 16 ans. Ces résultats proviennent d'un sondage effectué par téléphone auprès de 1081 parents. La seconde phase[3] de la collecte de données a eu lieu entre 2003 et 2005. Les chercheurs et chercheuses ont formé des groupes de discussion de parents et de garçons et filles âgés de 11 à 17 ans pour obtenir des témoignages et des opinions. Ensuite, grâce à une entreprise de recherche, un sondage a été effectué à l'échelle nationale auprès de 5272 jeunes âgés de 11 à 17 ans.

Les garçons utilisent Internet principalement pour télécharger de la musique.

Les filles utilisent Internet principalement pour le clavardage.

Les activités Internet des enfants d'âge scolaire

À l'échelle nationale, les chercheurs et chercheuses ont noté que près de 9 enfants sur 10 ont accès à Internet, que ce soit à la maison, à l'école ou chez des amis. Les jeunes qui naviguent dans Internet s'adonnent à diverses activités. Même si l'écart entre le taux d'utilisation d'Internet chez les garçons et les filles est minime, les chercheurs et chercheuses ont remarqué qu'il existe une différence importante dans l'usage qu'ils en font. En effet, selon cette étude, les garçons se servent d'Internet surtout pour se divertir en téléchargeant de la musique ou des vidéos. Par contre, les filles s'en servent surtout pour le clavardage et la messagerie instantanée.

Les parents canadiens qui ont été interrogés affirment être au courant de ce que font leurs enfants dans Internet. En fait, 86 % des parents ont mentionné que leurs enfants utilisent Internet pour diverses tâches. Selon ce rapport, 42 % des parents ont affirmé que leurs enfants utilisent le compte familial de courrier électronique et 38 % que leurs enfants ont leur propre adresse électronique. De plus, 6 % des parents disent que leurs enfants possèdent leur propre page Web et 28 % affirment que leurs enfants utilisent une messagerie instantanée. Dans ce même rapport, 15 % des parents ont répondu que leurs enfants s'étaient fait de nouveaux amis dans Internet.

Finalement, selon 70 % des parents consultés, le principal avantage d'Internet est l'aide que leurs enfants en retirent pour leurs travaux scolaires et leurs recherches. Seulement 21 % des parents canadiens considèrent que le divertissement et l'aspect social sont les principaux avantages d'Internet.

LES ENDROITS OÙ LES ENFANTS UTILISENT INTERNET

Endroit	Proportion (en %)
Maison	81
École	66
Maison d'un ou d'une camarade	35
Bibliothèque	19
Lieu de travail des parents	9
Points d'accès communautaires	5

Source: Réseau Éducation-Médias, mars 2000, p. 28.

L'UTILISATION D'INTERNET PAR LES ENFANTS, SELON LES PARENTS

Utilisation	Proportion (en %)
Utilise Internet	86
Utilise le compte familial de courrier électronique	42
A sa propre adresse électronique	38
Utilise une messagerie instantanée	28
Visite les bavardoirs	28
A accédé à du matériel lié à des scènes de sexualité	21
S'est fait de nouveaux amis dans Internet	15
Possède sa propre page Web	6

Source: Réseau Éducation-Médias, mars 2000, p. 13.

Internet aide les enfants dans leurs travaux scolaires.

Des inquiétudes quant à la sécurité et à l'utilisation d'Internet par les jeunes

Les groupes de discussion formés de parents et d'enfants ont permis aux chercheurs et chercheuses de relever les inquiétudes grandissantes des parents quant au contenu qui se trouve dans Internet. D'après cette étude, les parents craignent que leurs enfants soient exposés à du matériel jugé obscène, violent ou offensant. De plus, ils disent qu'ils ne voudraient pas que leurs enfants partagent des renseignements personnels en ligne. Selon Statistique Canada, deux parents sur trois croient qu'il est important de surveiller la façon dont les enfants se servent d'Internet. Les parents qui ne surveillaient pas cette utilisation avaient dans la plupart des cas (49 %) des enfants plus âgés. Enfin, l'exposition au matériel inapproprié est la plus grande préoccupation des parents (51 %). Une minorité de répondants (18 %) n'avaient d'inquiétude que par rapport à la sécurité tandis 23 % n'avaient aucune crainte.

LES PRINCIPALES INQUIÉTUDES LIÉES À L'UTILISATION D'INTERNET PAR LES ENFANTS

Inquiétude	Proportion (en %)
Matériel inapproprié	51
Aucune	23
Interaction/sécurité	18
Autres	13

Source : Réseau Éducation-Médias, mars 2000, p. 15.

De plus, selon les données recueillies, 36 % des parents interrogés affirment que la supervision et la sécurité d'Internet devraient être assurées par les fournisseurs, tandis que 34 % affirment que cette responsabilité devrait demeurer entre les mains des utilisateurs. En ce qui concerne le contenu offensant ou inapproprié de certains sites, les parents ont fait quelques suggestions, entre autres de renseigner les enfants sur le sujet et de les inciter à la prudence.

LA DISCUSSION DES RÉSULTATS

L'utilisation d'Internet par les enfants est un sujet qui préoccupe les parents. Malgré la connaissance élevée que la plupart des parents ont de cette technologie, peu d'entre eux peuvent affirmer connaître toutes les pratiques d'utilisation de leurs enfants. Les parents prétendent que leurs enfants utilisent Internet principalement pour les travaux scolaires, tandis que les enfants l'utilisent davantage pour le divertissement. Par contre, depuis 2001, on remarque que les parents surveillent davantage l'utilisation que leurs enfants font d'Internet. La crainte grandissante des parents relativement à l'exposition de leurs enfants à du matériel inapproprié semble expliquer ce changement de comportement.

Le contrôle parental est une bonne façon de protéger les jeunes contre l'exposition au matériel inapproprié dans Internet.

Réagis au texte.

1. Selon toi, quels sont les renseignements les plus importants dans ce rapport de recherche ? Compare ta réponse avec celle d'un ou d'une camarade.

2. Un rapport de recherche contient-il surtout des faits ou des opinions ? Justifie ta réponse.

Enrichis ton vocabulaire.

3. Relève dans le texte les mots et expressions en lien avec le rapport de recherche et note-les dans un organisateur graphique. Compare ensuite ton organisateur graphique avec celui d'un ou d'une camarade.

L'AVENIR D'INTERNET DANS LES FOYERS CANADIENS

Les jeunes Canadiens et Canadiennes utilisent Internet à l'école, à la bibliothèque et à la maison. Le nombre de familles canadiennes qui se procurent des ordinateurs et s'abonnent au réseau Internet ne cesse d'augmenter. Cette réalité pousse les adultes à guider davantage les jeunes dans l'utilisation d'Internet. Bloquer l'accès à certains sites et réglementer l'utilisation sont des solutions qui peuvent aider à protéger les jeunes. En général, les jeunes Canadiens et Canadiennes ne parlent pas beaucoup à leurs parents de leur usage d'Internet. Ce phénomène social pousse alors les parents à se questionner sur la sécurité de ce réseau. Les conclusions des études citées montrent que l'éducation des enfants demeure le meilleur moyen d'outiller les jeunes quant à l'emploi judicieux de ce réseau informatique. Les parents doivent aussi être vigilants. Finalement, l'ajout de soutien technique comme les filtres et les antivirus permettent de sécuriser davantage le réseau. Ainsi, la responsabilité doit être partagée entre tous les intervenants afin d'améliorer l'expérience en ligne des jeunes internautes canadiens.

COFFRE À OUTILS
ÉCRITURE

■ Observe le texte. Que pourrais-tu dire au sujet du choix de mots et du style d'écriture propres à un rapport de recherche ?

■ Travaille avec un ou une camarade. Dégagez la structure de ce rapport de recherche. Ensemble, trouvez une autre étude sur l'utilisation d'Internet et rédigez un rapport de recherche de cette nouvelle étude. Précisez votre intention et tenez compte de vos destinataires. Présentez votre rapport de recherche à la classe ou publiez-le dans le journal de votre école.

Références bibliographiques

1. STATISTIQUE CANADA (CLARK, Warren). «L'utilisation d'Internet chez les enfants et les adolescents», *Tendances sociales canadiennes*, n° 11-008 au catalogue, automne 2001.

2. RÉSEAU ÉDUCATION-MÉDIAS. *Phase I, Les enfants du Canada dans un monde branché : le point de vue des parents*, préparé pour Industrie Canada, Santé Canada et Développement des ressources humaines Canada, mars 2000.

3. RÉSEAU ÉDUCATION-MÉDIAS. *Phase II, Jeunes Canadiens dans un monde branché : tendances et recommandations*, préparé pour Industrie Canada, Santé Canada et Développement des ressources humaines Canada, novembre 2005.

Le BLOGUE, tout un phénomène !

par Dejan Andzic

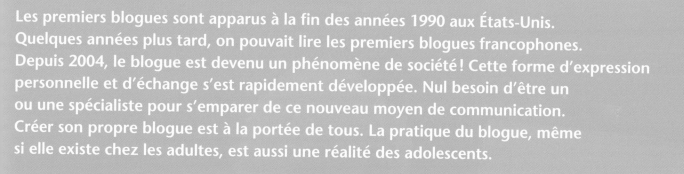

Les premiers blogues sont apparus à la fin des années 1990 aux États-Unis. Quelques années plus tard, on pouvait lire les premiers blogues francophones. Depuis 2004, le blogue est devenu un phénomène de société ! Cette forme d'expression personnelle et d'échange s'est rapidement développée. Nul besoin d'être un ou une spécialiste pour s'emparer de ce nouveau moyen de communication. Créer son propre blogue est à la portée de tous. La pratique du blogue, même si elle existe chez les adultes, est aussi une réalité des adolescents.

Qu'est-ce qu'un blogue ?

Un blogue est un site Web créé et animé en général par une seule personne. La *forme* du blogue est semblable à celle d'un journal personnel, mais son *contenu* en est souvent différent. La personne qui le crée (le blogueur ou la blogueuse) y dépose de courts textes appelés *billets*, qui peuvent être commentés par d'autres internautes. Ce site personnel devient alors un endroit d'échange. Les gens communiquent entre eux en écrivant des commentaires sur ce qui est déposé. Le texte ou document le plus récent apparaît en premier.

Prépare-toi !

- Utilise tes connaissances. Que connais-tu déjà sur les blogues ? Connais-tu la marche à suivre pour en créer un ? Quelle est-elle ?

- Pose des questions. Qu'aimerais-tu apprendre en lisant ce texte ? Quelles questions poserais-tu à un expert ou à une experte au sujet de la création d'un blogue ?

Le contenu est très varié. On y trouve divers types de textes. Il peut s'agir d'articles, de recettes, de pensées, de poèmes. Les textes sont parfois accompagnés de liens vers d'autres sites. On trouve aussi des dessins, des vidéos, des photos ou des documents audio. Le blogue permet non seulement une grande interaction entre le blogueur ou la blogueuse et son public cible, mais également entre les lecteurs et lectrices. C'est un endroit pour partager des documents, s'exprimer et donner son opinion sur une multitude de sujets. Dans certains sites, on trouve des forums de discussion. Ainsi, la personne qui a créé le blogue gère la discussion sur un sujet qu'elle a proposé.

Des plans de blogues sont souvent offerts gratuitement sur certaines plateformes conçues à cette fin. Le blogueur ou la blogueuse n'a qu'à faire des choix parmi ceux qui lui sont proposés et à y mettre sa touche personnelle. Il suffit de quelques clics et un blogue est construit.

Littératie en action

Marche à suivre

 CRÉER LE BLOGUE

– Consulte différents sites. Des plateformes te sont
suggérées pour créer ton blogue gratuitement.
Tu peux aussi créer ton site à partir d'un logiciel
de publication.
– Choisis un sujet qui t'intéresse et qui a des chances
de plaire à beaucoup de gens.
– Choisis une plateforme et suis les consignes fournies.
On te demandera de remplir un formulaire en ligne
(identifiant, mot de passe, nom du blogue, catégorie,
etc.). Ton site sera alors créé.
– Joue avec la taille des caractères et les couleurs
pour faire ressortir certaines parties de ton blogue.
– Choisis des mots percutants dans le titre.

 HÉBERGER LE BLOGUE

Si tu veux que les internautes accèdent à ton blogue,
celui-ci doit être hébergé. Selon la plateforme choisie,
l'hébergement sera pris en main automatiquement.

 **METTRE LE BLOGUE EN LIGNE,
L'ANIMER ET L'ALIMENTER**

N'oublie pas : tu demeures responsable du contenu
de ton blogue. Il te revient de supprimer tout
commentaire pouvant être offensant ou dont
le contenu te semble douteux.

Réagis au texte.

1. Avec un ou une camarade, discute
de la question suivante : en quoi
le choix des mots, la taille des
caractères et la couleur sont-ils
importants dans un blogue ?

2. En équipe, dressez une liste de sujets
qui pourraient être abordés dans un
blogue et expliquez pourquoi cela
pourrait intéresser vos lecteurs
et lectrices. En quoi votre liste est-
elle semblable à celle d'une autre
équipe ? En quoi est-elle différente ?

Enrichis ton vocabulaire.

3. Relève dans le texte des mots
nouveaux. Dans chaque cas, précise
la classe du mot. Compare tes
résultats avec ceux d'un ou d'une
camarade. Ensuite, en équipe, écrivez
une histoire en utilisant le plus
de mots possible de vos listes.

COFFRE À OUTILS
ÉCRITURE

■ Observe le texte. En quoi une marche à suivre
est-elle différente d'un autre texte ? Qu'est-ce
qui la caractérise ?

■ Travaille avec un ou une camarade. Préparez
la marche à suivre pour publier un article
dans le journal de l'école qui paraît en ligne
dans le site de l'école. Qu'y mettrez-vous ?
Dans quel ordre ? Sous quelle forme ?

Écrire un blogue

Ali a créé un blogue pour parler d'un jeu qu'il a aimé. Observe son travail.

Sujet	Une critique de jeu vidéo
Intention	Persuader les gens d'essayer le jeu
Public cible	Les joueurs et les joueuses de mon âge
Forme du texte	Blogue

La présentation

J'ai inclus un sondage pour encourager la participation.

Les idées

J'ai relevé les aspects intéressants du jeu avant de formuler ma recommandation.

Les conventions linguistiques

J'ai utilisé un vérificateur d'orthographe et un dictionnaire.

Les critiques de jeux d'Ali et de Chloé

Le 24 avril, 14h15

Étoiles du rock

Chloé et moi venons juste d'essayer le nouveau jeu vidéo Étoiles du rock. C'est génial !

Tu as l'impression de jouer dans un véritable groupe rock. Le jeu comprend une guitare, une batterie, un microphone et le disque du programme.

L'aspect le plus intéressant du jeu est le répertoire de chansons. Il contient des classiques du rock et des chansons de groupes plus récents. De plus, il est possible de télécharger d'autres chansons à partir du site Étoiles du rock.

L'aspect le moins intéressant du jeu est son prix. Il est assez coûteux. Il l'est encore plus si tu veux acheter une guitare supplémentaire et ajouter des chansons au répertoire. Néanmoins, nous recommandons le jeu Étoiles du rock à toutes les personnes qui aiment la musique. Nous lui donnons une note de 9 sur 10. Amuse-toi !

Ali

À propos de nous

Archives

Pour nous joindre

Liens

Sondage hebdomadaire

Comment trouves-tu ce jeu vidéo ?

☐ Pas très bon.

☐ Bon.

☐ Excellent.

VOTER

Voir les résultats

- Utilise un organisateur graphique pour faire le plan de ton texte.
- Rédige un brouillon à partir de ton plan.
- Détermine quelles parties tu veux améliorer, et demande l'avis d'un ou d'une camarade.
- Utilise une liste de vérification pour réviser et corriger ton texte.
- Publie ton article dans Internet ou sur papier.

À ton tour d'écrire un blogue sur un sujet de ton choix.

Pour t'aider, pose-toi les questions suivantes :

- Sur quoi vais-je écrire ? Pourquoi est-ce que je trouve ce sujet important ?
- Quelle sera l'intention de mon texte ?
- Comment vais-je capter l'intérêt des autres élèves ?
- Quel est mon point de vue sur le sujet ?
- Quels arguments, motifs ou exemples puis-je utiliser pour convaincre les lecteurs et lectrices ? Comment les amener à partager mon point de vue ?
- Quelle sera ma conclusion ? Comment vais-je la formuler ?
- Comment vais-je encourager mes lecteurs et lectrices à commenter mon texte ?
- Quels liens connexes, citations, images et exemples pourrais-je mettre dans un encadré ?

Note tes idées dans un organisateur graphique. Cela te sera utile au moment de rédiger ton blogue.

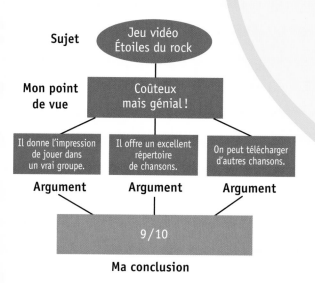

Sujet — Jeu vidéo Étoiles du rock

Mon point de vue — Coûteux mais génial !

Il donne l'impression de jouer dans un vrai groupe. — **Argument**

Il offre un excellent répertoire de chansons. — **Argument**

On peut télécharger d'autres chansons. — **Argument**

9/10

Ma conclusion

- Quels critères pourrais-tu utiliser pour évaluer ton blogue ? Notes-en trois et évalue ton texte à l'aide de ces critères.
- Quel aspect a été le plus réussi ?
- Quel aspect devras-tu améliorer ?

Nature

Prépare-toi !

- Fais des liens. Utilises-tu souvent l'ordinateur ? Qu'est-ce qui changerait dans ta vie si tu n'avais pas accès à un ordinateur ?

- Pose des questions. En quoi les ordinateurs sont-ils importants pour les êtres humains ? Devrait-on limiter l'accès à l'ordinateur chez les jeunes enfants ?

Si la montagne et la campagne
Ne sont plus que virtuelles
Où irais-je avec mon chien me promener ?

Si les fleurs et les insectes
Sont en plastique dans les musées si grands
Quel parfum aura la pommade de maman ?

par Charles Dunajewski

Réagis au texte.

1. Selon toi, quels sont les avantages du virtuel par rapport à la réalité? Quels en sont les inconvénients? Discute de ta réponse avec un ou une camarade.

2. Selon toi, quelle est la plus grande utilité des mondes virtuels? Discutes-en avec un ou une camarade. Ensemble, écrivez un texte d'opinion qui pourrait être affiché sur un blogue pour répondre à cette question.

Enrichis ton vocabulaire.

3. La personnification est un bon moyen d'aider les lecteurs et lectrices à visualiser un texte. Par exemple, lorsque l'auteur écrit que «la nature n'a pas fini de chanter», quelles images te viennent en tête? Ajoute une strophe de trois vers au poème en t'assurant d'utiliser la personnification dans le dernier vers. Compare ta strophe avec celles de tes camarades.

Si le lait et le chocolat
Ont la taille des médicaments
Comment vais-je salir mes vêtements?

Mais il est temps de partir m'amuser
À travers les plaines et les champs
Car la nature n'a pas fini de chanter.

Source: Charles DUNAJEWSKI, «Nature», dans J. CHARPENTREAU,
Les poètes de l'an 2000, Paris, © Le Livre de Poche Jeunesse, 2000, p. 108.

COFFRE À OUTILS
COMMUNICATION ORALE

Avec un ou une camarade, trouve et présente un poème traitant de l'influence de la technologie dans notre vie. Pensez à la manière dont vous pourriez utiliser vos voix lors de la présentation. Accompagnez votre présentation d'éléments visuels. Vous pouvez également insérer des effets sonores ou de la musique pour créer l'ambiance désirée.

Enregistrer un message publicitaire

Les publicités dans Internet se présentent sous différentes formes. Ce sont parfois de courts clips audio semblables à ceux qu'on entend à la radio. Les publicités s'affichent souvent dans des encadrés ou des fenêtres contextuelles quand tu visites un site Web. Certaines publicités plus longues prennent la forme d'un balado.

Enregistrer un message publicitaire

Toute publicité vise à vendre un produit, un service ou une idée. Une publicité audio ne peut compter que sur le son – mots, musique et effets sonores – pour attirer l'attention des auditeurs et auditrices et les convaincre d'acheter un produit, de soutenir une cause ou de se comporter d'une certaine façon.

Démarche

- Choisis un sujet que tu trouves intéressant et qui te tient à cœur. Détermine quelle sera l'intention de ton message.

- Réfléchis aux stratégies que tu utiliseras pour convaincre ton public cible de soutenir ta cause.

- Commence par une phrase qui présentera ton sujet et qui captera l'attention de ton public.

- Donne des exemples auxquels tes auditeurs et auditrices pourront s'identifier.

- Termine avec un argument percutant ou un slogan.

- Exerce-toi en utilisant des effets vocaux et sonores.

POUR T'AIDER...

- Fournis des faits intéressants.
- Utilise l'humour.
- Intègre dans ton texte l'opinion d'une célébrité ou encore d'un expert ou d'une experte.
- Choisis des mots chargés d'émotion.

Littératie en action

En petit groupe, créez et enregistrez un message publicitaire de 20 à 40 secondes visant à convaincre les auditeurs et auditrices de soutenir une cause. La publicité doit s'adresser aux gens de votre âge et être conçue en vue d'une diffusion dans un site Web, un blogue ou un balado.

■ Présentez votre publicité à la classe et invitez les élèves à faire part de leurs commentaires.

RÉFLÉCHIS...

■ Le fait d'utiliser seulement des voix et des sons a-t-il posé des difficultés ? Lesquelles ?

■ Quels éléments les auditeurs et auditrices ont-ils retenus ? À quoi ont-ils le plus réagi ?

■ Quels conseils donnerais-tu à d'autres élèves qui doivent enregistrer une publicité ?

L'univers des Jeux vidéo

par Cynthia O'Brien

Une mer d'écrans lors des *World Cyber Games* de 2005 à Singapour.

Dynamique : qui déborde d'énergie et d'enthousiasme.

Endurance : capacité de faire une chose pendant une période prolongée.

E-1

Prépare-toi !

- Fais des liens. Quelles aptitudes faut-il posséder pour devenir un champion ou une championne de jeux vidéo ?

- Utilise tes connaissances. Pendant que tu lis, tente de dégager les similitudes qui existent entre les tournois de jeux vidéo et les compétitions sportives dans le monde réel.

En 2000, des joueurs de partout dans le monde se sont réunis en Corée du Sud pour participer aux premiers *World Cyber Games*. Chaque année, cet événement attire les meilleurs joueurs et joueuses de 74 pays.

Les champions et championnes des sports électroniques sont des joueurs professionnels qui rivalisent pour gagner de l'argent et des médailles.

Au Canada, les vedettes des sports électroniques forment une équipe ayant pour capitaine Robert Tyndale. Joueur **dynamique** et talentueux, Robert pense que «les sports électroniques vont prendre de plus en plus d'ampleur quand ils seront télévisés et plus accessibles au grand public». Il a raison – leur croissance est rapide. Moins d'une décennie après la tenue des premiers *World Cyber Games*, la Chine avait annoncé que les jeux vidéo feraient partie intégrante des activités de bienvenue des Jeux olympiques d'été de 2008.

La vie de joueur

Mais comment devient-on un joueur professionnel ou une joueuse professionnelle ? Robert Tyndale a découvert son jeu préféré alors qu'il était au premier cycle du secondaire à Edmonton. Il a participé à son premier tournoi important à l'âge de 16 ans. Aujourd'hui dans la vingtaine, Robert a consacré de nombreuses années à se perfectionner pour devenir l'un des meilleurs joueurs au monde.

Le capitaine Robert Tyndale (à l'avant-plan) avec le reste de l'équipe canadienne.

Bien qu'il étudie à temps plein à l'université, Robert réussit à se consacrer aux jeux vidéo sans négliger ses études. Il nous décrit une semaine type : « Je me consacre à mes études de 7 h 30 à 18 h et je m'entraîne de 19 h à 23 h du dimanche au jeudi. Cela me laisse du temps pour me détendre avec mes amis. » Comme la plupart des joueurs professionnels, il se garde aussi du temps pour se tenir en forme physiquement. Pour faire de la compétition, il faut avoir de bons réflexes, une excellente coordination œil-main et beaucoup d'**endurance**.

Les grandes vedettes du jeu vidéo

Comme l'intérêt pour les jeux vidéo augmente, la compétition ne peut que devenir plus féroce. Mais, comme le dit Robert, cette croissance apportera aussi de nouvelles possibilités – des prix plus importants, plus de commanditaires et plus de chances de jouer. La question est la suivante : parmi les joueurs amateurs d'aujourd'hui, lesquels deviendront les prochains joueurs vedettes du Canada ?

Réagis au texte.

1. Avec un ou une camarade, imagine que tu es le ou la capitaine d'une équipe de joueurs de jeux vidéo. À partir de l'information contenue dans l'article, prépare une publicité en vue de recruter de nouveaux joueurs. Mentionne les qualités et l'expérience recherchées. Fais preuve de persuasion pour attirer les meilleurs joueurs.

2. En équipe, préparez un jeu de rôle à partir d'un tournoi de jeux vidéo diffusé à la radio, à la télévision ou en ligne. Par exemple, vous pouvez faire des entrevues ou encore discuter entre experts avant ou après une compétition.

Enrichis ton vocabulaire.

3. À l'origine, la racine *cyber* provenant du grec ancien signifiait « l'art de gouverner ou de piloter ». Aujourd'hui, on l'utilise généralement pour créer des mots s'appliquant au réseau de communication Internet. À l'aide de la signification actuelle de la racine *cyber*, donne ta définition des mots suivants : *cyberespace, cybernaute, cybercafé, cyberacheteur, cybercommunauté*.

COFFRE À OUTILS
MÉDIA

Les médias sont des moyens très efficaces pour diffuser des publicités. Que ce soit sur papier, en ligne, à la radio ou à la télé, la publicité vise à influencer, à convaincre ou à vendre un produit ou un service.

■ Travaille avec un ou une camarade. Concevez une publicité imprimée ou en ligne annonçant un tournoi de jeux vidéo. Captez l'attention des lecteurs et lectrices grâce à la mise en pages, aux styles de police et aux couleurs. Intégrez un logo de votre création.

33

Analyser des blogues

Quand tu visites un blogue, il est important de te demander qui est l'auteur ou l'auteure du blogue et d'où provient l'information présentée. Tu dois évaluer d'un œil critique les renseignements donnés et le point de vue du blogueur ou de la blogueuse. Observe le blogue suivant.

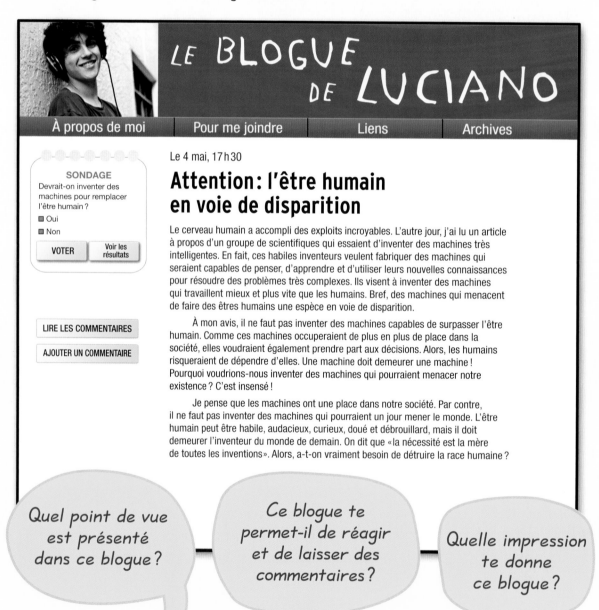

LE BLOGUE DE LUCIANO

| À propos de moi | Pour me joindre | Liens | Archives |

SONDAGE

Devrait-on inventer des machines pour remplacer l'être humain ?

☐ Oui
☐ Non

VOTER | Voir les résultats

LIRE LES COMMENTAIRES

AJOUTER UN COMMENTAIRE

Le 4 mai, 17 h 30

Attention : l'être humain en voie de disparition

Le cerveau humain a accompli des exploits incroyables. L'autre jour, j'ai lu un article à propos d'un groupe de scientifiques qui essaient d'inventer des machines très intelligentes. En fait, ces habiles inventeurs veulent fabriquer des machines qui seraient capables de penser, d'apprendre et d'utiliser leurs nouvelles connaissances pour résoudre des problèmes très complexes. Ils visent à inventer des machines qui travaillent mieux et plus vite que les humains. Bref, des machines qui menacent de faire des êtres humains une espèce en voie de disparition.

À mon avis, il ne faut pas inventer des machines capables de surpasser l'être humain. Comme ces machines occuperaient de plus en plus de place dans la société, elles voudraient également prendre part aux décisions. Alors, les humains risqueraient de dépendre d'elles. Une machine doit demeurer une machine ! Pourquoi voudrions-nous inventer des machines qui pourraient menacer notre existence ? C'est insensé !

Je pense que les machines ont une place dans notre société. Par contre, il ne faut pas inventer des machines qui pourraient un jour mener le monde. L'être humain peut être habile, audacieux, curieux, doué et débrouillard, mais il doit demeurer l'inventeur du monde de demain. On dit que «la nécessité est la mère de toutes les inventions». Alors, a-t-on vraiment besoin de détruire la race humaine ?

Quel point de vue est présenté dans ce blogue ?

Ce blogue te permet-il de réagir et de laisser des commentaires ?

Quelle impression te donne ce blogue ?

Fais preuve d'esprit critique. Avec quelques camarades, analyse des blogues.

À quel point ces blogues sont-ils bien faits ?

Analyser des blogues

Blogue: *Le blogue de Luciano*

	Commentaires
• Qui a préparé ce blogue? Quelle est l'intention du blogue?	• *Luciano, avec l'intention de donner son opinion sur la relation entre les machines et l'être humain*
• À qui s'adresse ce blogue?	**Commentaires** • *à toutes les personnes intéressées par ce sujet*
• Comment l'information est-elle présentée?	**Commentaires** • *sous forme de texte d'opinion*
• Qu'est-ce qui t'a donné le goût de lire ce blogue?	**Commentaires** • *un titre qui capte l'attention et qui contient des mots percutants («attention», «voie de disparition»)* • *un sujet qui m'intéresse*
• Est-ce possible de réagir au contenu du blogue, de faire un commentaire?	**Commentaires** • *oui, et on peut prendre connaissance des commentaires d'autres personnes*
• Est-ce que tu voudrais consulter ce blogue de nouveau?	**Commentaires** • *oui, si le sujet proposé m'intéresse*

Appréciation globale: Excellent ❏   Bon ☒   Passable ❏   Faible ❏

- Remplissez un tableau comme celui-ci pour analyser des blogues.
- Mettez vos résultats en commun avec ceux d'autres équipes.

POUR T'AIDER...

- Quand tu lis un blogue, analyse s'il est sérieux et regarde s'il y a des publicités.
- Détermine l'intention du blogue et si l'objectif du blogueur ou de la blogueuse est atteint.
- Demande-toi si tu recommanderais ce blogue à tes camarades.
- Détermine si ce blogue peut t'être utile.

RÉFLÉCHIS...

En quoi analyser des blogues te permettra-t-il de mieux comprendre l'efficacité d'un blogue ou d'un autre document électronique ? Justifie ta réponse.

Le journal de Mathéo

Prépare-toi !

- Fais des liens. Quels moyens électroniques peux-tu utiliser pour conserver tes souvenirs et tes photos ? À ton avis, lesquels sont les plus efficaces ? À quoi pourrait te servir un journal personnel ?

- Utilise tes connaissances. Selon toi, quels seraient les avantages de garder un journal personnel à l'ordinateur au lieu de l'écrire dans un cahier ?

Il y a plusieurs types de journaux. Tout le monde peut écrire un journal. Par exemple, le journal historique raconte des événements du passé et peut aider à comprendre le présent. Les auteurs et auteures de ce type de journal nous font connaître la vie quotidienne des gens d'une certaine époque. Il y a aussi d'autres types de journaux, comme le journal de voyage, le journal d'observations scientifiques, le journal de bord et le journal personnel. Le journal de bord est un journal dans lequel nous notons régulièrement nos réflexions sur nos apprentissages. Les enseignants et enseignantes demandent souvent aux élèves de tenir un journal de bord. Le journal personnel, lui, est un bon moyen de conserver des traces de notre vie. Nous y consignons des moments vécus, nos idées et nos sentiments. Tu as peut-être un journal personnel ou un journal intime. Voici une page du journal personnel électronique de Mathéo.

Le 23 avril 2010

Cher journal,

Je ne suis pas certain que ce soit la meilleure façon de commencer un journal…, mais c'est une première pour moi de tenir un journal personnel ! Ma sœur écrit son journal depuis déjà quatre ans. Alors, j'ai décidé de faire la même chose. Je me suis dit qu'il me ferait peut-être du bien de consigner mes peines ou mes frustrations dans un journal quand je perds à un tournoi de hockey, par exemple. Je crois qu'en notant ce qu'on ressent, on a l'impression de le partager et qu'on se sent mieux par la suite. Par contre, comme je reformule mes phrases plusieurs fois avant d'être satisfait du résultat et que je déteste effacer, jusqu'à maintenant je reportais l'expérience.

Mais tout vient de changer ! Mes parents ont acheté cet ordinateur. Ma sœur et moi y avons accès et chacun a son profil. Alors, j'ai décidé de commencer à tenir mon journal. J'adore ça ! Un jour, j'aurai probablement mon blogue ou mon site Web. Pour le moment, j'aime bien imaginer mon rendez-vous quotidien avec toi. Je n'ai pas à te cacher ou à te verrouiller. Il suffit de fermer ma session et le tour est joué.

C'est beaucoup plus facile de tenir un journal à l'ordinateur. De plus, je peux utiliser l'ordinateur pour faire du clavardage avec mes amis et pour faire des recherches pour mes travaux scolaires. J'adore communiquer avec mes amis par courrier électronique ! Je viens de voir l'heure ! Je dois me coucher, car j'ai une partie de jeu vidéo en ligne à partir de ma console demain matin. Bonne nuit !

Mathéo

Le 24 avril 2010

Cher journal,

J'ai gagné une course automobile contre une Chilienne et un Vietnamien ! C'est spécial… Nous sommes à des milliers de kilomètres les uns des autres et on peut partager des moments de plaisir grâce à Internet. Parfois, je me demande comment faisaient les gens il y a 50 ans pour fonctionner sans ordinateur ou sans Internet. Tout semble plus facile maintenant. Bon, je te laisse. J'ai un entraînement de soccer !

À+

Mathéo

Réagis au texte.

1. Qui pourrait apprécier le texte que tu viens de lire ? Compose un message pour recommander ce texte à cette personne. Lis ton message à un ou à une camarade et demande-lui une rétroaction.

2. Selon toi, est-ce important de partager nos impressions et nos sentiments avec d'autres ou de les noter dans un journal personnel ? Pourquoi ? Échange ton opinion avec un ou une camarade.

Enrichis ton vocabulaire.

3. Trouve dans le texte des mots ou des expressions qui signifient « écrire ». Compare ta réponse avec celle d'un ou d'une camarade.

COMPARER DES TEXTES

Dégage la structure du journal personnel électronique. En quoi un journal personnel est-il semblable à un autre type de journal ? En quoi est-il différent ? Discutes-en avec un ou une camarade.

Léa reprend conscience. Sa dernière gaffe l'a sauvée d'une mort certaine. La brusque accélération des moteurs de l'astronef lui a permis de s'éloigner juste à temps des turbulences mortelles occasionnées par l'explosion de Bételgeuse. Cependant, son corps en a subi les contrecoups. Une douleur tenace lui rappelle les événements. Elle se redresse, se détache, tente quelques pas et tombe. Elle frictionne ses muscles **endoloris**.

L'adolescente sort le robot de sa poche ventrale et l'**ausculte**. Il clignote faiblement. Elle rectifie l'orientation de l'antenne et palpe la carapace.

— Il faut réchauffer les moteurs, murmure-t-il.

Léa le secoue doucement.

— X_3, nous sommes dans l'hyperespace. Tes circuits sont mélangés ou ils ont surchauffé. Tu as la cuirasse fêlée.

Elle le dépose sur le sol et se relève, cette fois avec succès. Elle s'approche du hublot. Le spectacle est fascinant. Des arcs-en-ciel embrasent le ciel de leurs longues traînées aux reflets changeants et brillants. À tout instant, des éclairs de couleur

Prépare-toi !

- Fais des liens. As-tu déjà rêvé de voyager dans l'espace ? Selon toi, à quoi pourrait ressembler la vie dans l'espace ?

- Utilise tes connaissances. Que connais-tu au sujet des récits de science-fiction ? En quoi ces connaissances pourraient-elles t'aider à te préparer à lire le texte ?

L'ESPACE

par Danielle Simd

blanchâtre se nuancent de pigments turquoise qui finalement se perdent au fin fond de la galaxie. Captivée par la magie du tableau, elle n'entend pas son ami rappliquer.

— Bételgeuse n'existe plus. L'étoile a explosé, de même que notre planète.

— Crois-tu que les Bételgiens ont réussi à se rendre vers une autre destination ?

X_3 reste muet. Paniquée, Léa le secoue durement.

— Est-ce que je pourrai bientôt rejoindre les miens ou suis-je condamnée à **errer** éternellement dans l'espace ?

— Je… je… je… je ne sais pas, **bafouille** le robot.

Prise de **remords**, elle lâche prise.

— Excuse-moi, je ne sais plus où j'en suis. Je ne voulais pas t'abîmer. Tu es tout ce qui me reste au monde.

Découragée, la jeune fille retourne s'asseoir. Elle jette un regard furtif à la console où défilent des chiffres sur l'écran principal.

— Où sommes-nous exactement ? Il doit bien y avoir des cartes, des instruments pour calculer notre trajectoire. Viens, on passe les lieux au peigne fin.

Léa et X_3 parcourent les couloirs étroits et les nombreux ponts du vaisseau. Léa découvre une soute pleine de vivres et une salle remplie de matériel informatique et électronique.

Elle revient au poste de pilotage et dépose ses trouvailles sur la console technique, à portée de main. Puis elle se met au travail. Elle branche l'émetteur-récepteur à l'ordinateur central et le démarre. Après quelques petits bruits secs et vifs, tout fonctionne comme sur des roulettes.

Depuis sa naissance, Léa est contrainte à l'étude des sciences. Elle ne l'a jamais fait avec grand sérieux, préférant de beaucoup s'amuser. Mais en ce moment, elle se trouve chanceuse de posséder tant de connaissances.

Endolori, endolorie: qui fait mal, qui est douloureux.

Ausculter: examiner soigneusement.

Errer: aller au hasard, sans savoir où.

Bafouiller: parler d'une manière embarrassée, en prononçant mal.

Remords: sentiment de regret, de honte.

L'attention de la jeune fille est attirée par une petite fissure dans la paroi de la cabine de pilotage. Elle tâte le mur. Ce faisant, Léa déclenche le mécanisme d'ouverture d'une porte. À sa grande surprise, elle découvre une multitude de cartes astrales et de caisses poussiéreuses qui semblent dormir dans cet endroit depuis des lustres.

Elle déplie une des cartes sur le comptoir près du tableau de bord. À première vue, toutes les étoiles se ressemblent. Finalement, elle repère Bételgeuse. Sa longue traînée rouge la différencie des autres. Elle fixe le papier vieilli et sans éclat, puis réfléchit à voix haute.

— Les étoiles les plus rapprochées de Bételgeuse sont Rigel, Saiph et Bellatrix. Vers quelle étoile se sont-ils dirigés ? Le commandant a oublié de m'indiquer sa destination ou je n'ai pas compris l'information, constate-t-elle, accablée par son inattention. Je ne suis qu'une écervelée. Je m'en voudrai éternellement.

Elle se lève et observe attentivement le cosmos. Au loin, le spectre d'une étoile dégage une lumière bleutée. Intriguée, Léa l'observe.

— X$_3$, viens voir! On dirait que l'étoile se rapproche.

Le robot s'avance près du hublot. Au même instant, l'émetteur-récepteur fait un bruit. Surprise, Léa tend l'oreille. Comme bruit de fond, elle discerne des voix étouffées. Elle cherche la fréquence exacte et augmente le volume. Léa capte une conversation animée.

— Professeur Dzello, peut-on s'installer ici en toute sécurité?

— Je ne sais pas, commandant. L'atmosphère est semblable à celle de Bételgeuse, mais il y a quelque chose qui cloche.

— Qu'est-ce que c'est? Tous les paramètres analysés semblent pourtant satisfaisants: l'atmosphère, le sol, la température, la végétation. Rigel doit suffire à réchauffer cette planète.

— Commandant, je n'en suis pas certain. La température du noyau de l'étoile est à la limite acceptable. C'est anormal.

Excitée, Léa tente de communiquer avec le commandant, mais toutes ses tentatives échouent. Elle entend les interlocuteurs, mais est incapable de leur parler. Désespérée, elle sent une larme couler sur sa joue. C'est la première fois de son existence qu'elle pleure. Enfant comblée par la nature, dotée d'une grande intelligence, jusqu'ici sa vie a été facile. Elle connaît maintenant le malheur... Tout un choc! La conversation reprend de plus belle.

— Commandant, l'ordinateur principal prévoit un accroissement considérable de la chaleur de Rigel dans quelques années.

— Ça veut dire que Rigel va finir comme Bételgeuse: une supernova en mille miettes. D'où l'explication de son intense luminosité... Nous ne survivrons pas à une seconde déflagration, constate l'officier, découragé.

— Malheureusement, les autres planètes sont trop petites pour nous accueillir. Celle-ci est la seule à avoir la superficie voulue pour nous installer, afin que nos générations futures mènent une vie agréable. Regardez le peuple, il s'installe déjà. Il a tellement souffert!

— Vous ne pouvez stopper la température de Rigel? Il me semblait que la **confrérie** des hommes de science avait réussi à construire un refroidisseur atomique!

— Vous avez raison, mais l'appareil ne fonctionne que sur une courte période de temps. À la longue, ses composantes chauffent. Nous devons parfaire le dispositif. Il manque un élément essentiel. Peut-être le trouverons-nous avant qu'il ne soit trop tard, ajoute le professeur.

Confrérie: association dont les membres ont un but commun.

Léa soupire. Impuissante, elle assiste à la tragédie. Les voix se brouillent. Des bruits étranges s'échappent des haut-parleurs de l'émetteur-récepteur et perturbent la communication. Léa retourne près du hublot. Le vaisseau se rapproche du spectre bleu de l'étoile. Le champ magnétique de Rigel attire l'astronef. Les parois vibrent. Une sensation de lourdeur s'empare du corps de Léa. Elle s'assoit sur le siège du pilote et se ceinture. Elle va bientôt pénétrer dans l'atmosphère de l'étoile. L'adolescente entend de nouveau la voix des Bételgiens.

— Commandant ! Regardez dans le ciel. On dirait un astronef.

— À ma connaissance, le seul vaisseau absent est…

— … le vaisseau-école, crient en même temps les deux hommes.

— Il va s'écraser, hurle le commandant. Sa vitesse est beaucoup trop élevée. C'est Léa, j'en suis certain. Il faut lui transmettre la procédure d'atterrissage.

C'est le branle-bas de combat. Ils calculent la vitesse du vaisseau, sa distance et communiquent les données à la jeune fille.

— Léa ! Abaisse la manette blanche. Tu dois couper les moteurs. La manette blanche, Léa ! Vite, appuie sur le bouton bleu pour abaisser ton bouclier protecteur. Ça presse ! hurle le commandant.

La jeune fille comprend très bien les instructions, mais ses mouvements sont devenus pénibles et difficiles. Tout se passe au ralenti. Elle abaisse le bouclier de protection et tend le bras

vers la manette blanche. Au passage, elle pousse accidentellement le levier rouge vers le bas. Le vaisseau freine sa descente et repart en sens inverse dans une accélération très rapide. Il s'éloigne de l'atmosphère de Rigel. Elle perçoit une voix de plus en plus lointaine.

— Léa ! Léa, arrête les moteurs. Abaisse le levier…

Elle ne capte déjà plus les ordres du commandant. La communication est interrompue. Encore une fois, le destin l'a écartée des siens. Une mauvaise manœuvre l'a précipitée au centre du nuage de gaz stellaire laissé par la disparition de Bételgeuse. En colère contre sa maladresse, Léa ramène tous les leviers à leur point mort. Peine perdue, la vitesse de l'astronef s'accroît. Le vaisseau est attiré de façon irréversible vers l'étoile à neutrons. Heureusement, le bouclier protecteur la soustrait aux rayons X émis par la matière.

X_3 s'approche lentement de la jeune fille. Il tourne et grince comme un oiseau blessé. Léa l'attrape et le met à l'abri dans sa poche ventrale. En ce moment, protéger son ami devient sa principale préoccupation.

Par suite de l'explosion de Bételgeuse, un trou dans le continuum espace-temps s'est formé. Tel un ogre, la substance gobe tout ce qui l'entoure. Le champ magnétique est tellement puissant qu'il déforme la lumière. Les objets s'allongent, raccourcissent, grossissent selon le moment.

Le vaisseau s'enfonce dans un tunnel aux spirales blanches ceinturées de rayures bleutées. Léa se sent aspirée comme l'eau qui coule de la baignoire en déclenchant un remous. Ses bras se mêlent à ses jambes, le liquide quitte sa tête pour se retrouver dans ses pieds. Léa bleuit, rosit, jaunit, gonfle et dégonfle. Sa bouche s'élargit comme pour avaler le temps qui fuit. Elle passe par toutes les formes. De petite, elle devient énorme. Bientôt, elle se retrouve dans un état second, entre le rêve et la réalité. Son essence flotte magiquement à travers les zébrures rosées.

Léa fait un bond interstellaire de plusieurs années-lumière et pénètre dans le système solaire.

Source : Danielle SIMD, *La prophétie d'Orion*, Saint-Alphonse-de-Granby, Éditions de la Paix, 2001, p. 31 à 43.

Réagis au texte.

1. Trouve un autre titre au texte que tu viens de lire. Compare ton titre avec celui d'un ou d'une camarade et choisissez celui qui semble le plus approprié. Justifiez votre choix dans un court paragraphe.

2. Compose une entrée que Léa aurait pu écrire dans son journal personnel électronique après l'expérience qu'elle a vécue dans le vaisseau spatial. Lis ton extrait de journal aux élèves de ton groupe et recueille leurs commentaires.

Enrichis ton vocabulaire.

3. Imagine les sentiments que Léa a pu éprouver dans le vaisseau spatial. Par exemple, quand Léa reprend conscience au début de l'histoire, comment crois-tu qu'elle s'est sentie ? Avec un ou une camarade, dresse une liste d'adjectifs qui pourraient décrire les sentiments de Léa tout au long de l'histoire. Comparez votre liste avec celle d'une autre équipe.

COMPARER DES TEXTES

Compare le texte que tu viens de lire avec un autre texte de ce module. En quoi sont-ils semblables ? En quoi sont-ils différents ? Discutes-en avec un ou une camarade.

Créer un guide Internet

Un guide d'utilisation vise à donner des renseignements sur la façon d'employer un objet ou un outil. On peut y trouver des instructions de montage, des conseils aux utilisateurs et utilisatrices, des mises en garde, etc.

Avec un ou une camarade, crée un guide Internet. Ce guide a pour objectif d'enseigner aux plus jeunes élèves à utiliser intelligemment Internet, afin d'éviter les pièges des sites Web malhonnêtes. Votre guide doit atteindre l'objectif visé, être intéressant et convaincant. Vous pouvez le créer en ligne ou sur papier.

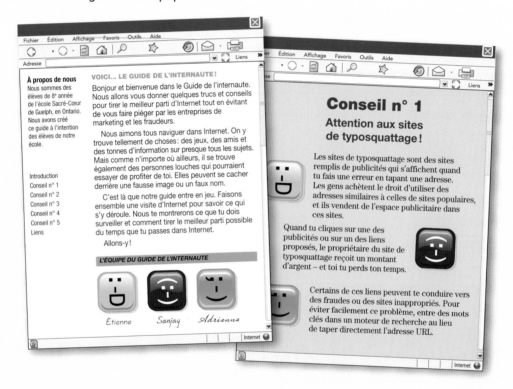

Avant de commencer, réfléchis à ce que tu as lu et à ce dont tu as discuté dans ce module.

Sujet	Une utilisation prudente et judicieuse d'Internet
Intention	Donner quelques trucs et conseils quant à l'utilisation d'Internet (sécurité, fonctionnement, publicité, etc.)
Public cible	Les élèves plus jeunes
Forme du texte	Guide en ligne ou sur papier

PLANIFIEZ VOTRE GUIDE.

- Déterminez cinq mises en garde dont vous aimeriez que vos lecteurs et lectrices se souviennent.

- Expliquez chacune de ces mises en garde et présentez-les de façon claire et intéressante de manière à capter l'attention de vos lecteurs et lectrices, et pour qu'ils puissent les comprendre et les retenir facilement.

- Pensez à des exemples pour appuyer vos propos ou à des illustrations que vous pourriez ajouter pour agrémenter votre texte.

- Réfléchissez à des façons de rendre votre guide intéressant et amusant pour vos jeunes lecteurs et lectrices (ex.: sondage, illustration, disposition).

CONCEVEZ VOTRE GUIDE.

- Donnez à votre guide un air authentique. Choisissez les images, les polices de caractères, les couleurs, le titre et la mise en pages en fonction de l'impression ou du sentiment que vous voulez susciter.

- Intégrez une section *À propos de nous* et un encadré contenant des liens ou d'autres renseignements.

EN PLUS...

- Utilisez un avatar qui servira de guide dans les différentes situations en ligne.
- Créez un jeu qui servira à faire connaître l'information contenue dans votre guide.
- Accompagnez votre guide de clips audio ou vidéo.

POINTS À SURVEILLER

- Des renseignements exacts et à jour
- Une présentation intéressante
- Des idées importantes qui ressortent
- Des exemples convaincants

RÉFLÉCHIS...

- En quoi votre guide constitue-t-il un bon outil pour de jeunes internautes ?

- En quoi votre guide est-il le reflet de ce que tu as appris dans ce module ?

Ton portfolio

- Choisis deux ou trois productions que tu as faites au cours du module et qui montrent bien ce que tu as appris.

- Présente-les à ton enseignant ou à ton enseignante, à ta famille et à tes camarades.

Des gens remarquables !

MODULE 5

Qui sont tes héros ?

Objectifs d'apprentissage

Dans ce module, tu vas faire les tâches suivantes :

- écouter et lire des chroniques sur des gens qui ont accompli des

- utiliser des stratégies pour lire des chroniques et des articles journalistiques,

- rédiger une chronique d'intérêt national sur des gens qui ont accompli quelque chose de remarquable;

- analyser la couverture d'une revue pour prévoir la réaction du public.

À la fin de ce module, tu utiliseras tes connaissances pour préparer un reportage multimédia sur une personne remarquable.

EN QUÊTE DE GENS REMARQUABLES

Terry Fox, courant pour sa cause, le Marathon de l'espoir.

Prépare-toi !

- Fais des liens. À quelles situations ces photos te font-elles penser? Que sais-tu à propos de ces personnes?

- Pose des questions. Qu'aimerais-tu apprendre au sujet de ces personnes?

Mère Teresa en mission à Calcutta, en Inde, en 1977.

1. Discute avec un ou une camarade. Y a-t-il un exploit que tu as accompli ou un événement que tu as vécu qui t'inspire de la fierté ? Choisis une des photos. Qu'est-ce que la personne sur cette photo a fait de remarquable, à ton avis ?

2. Forme une équipe avec des camarades. Imaginez que vous devez remettre une médaille à une personne qui a accompli quelque chose de remarquable. À qui remettriez-vous la médaille ? Justifiez votre choix.

Quand tu parles...

Parle à ton tour et en tenant compte de ton auditoire.

Capte et soutiens l'attention de ton auditoire.

Emploie des mots justes.

Précise ta pensée avant de parler.

Quand les autres parlent...

Respecte les règles de politesse.

Écoute bien le message.

Repère les mots clés pour t'aider à dégager les idées principales.

Prends note des idées sur lesquelles tu voudrais revenir.

Lire des chroniques

Une chronique est un texte d'opinion. C'est un article de revue, de journal ou en ligne qui traite d'un sujet particulier, de façon régulière. Il existe des chroniques écrites, télévisées ou radiophoniques. Analyse la chronique suivante.

Le champion du basket-ball

par Alicia Crossman, journaliste sportive

Steve Nash est un héros – ou plutôt un superhéros – tant sur le terrain de basket-ball qu'à l'extérieur. C'est un athlète incroyable. Capitaine respecté d'une équipe gagnante de la National Basketball Association (NBA), la principale ligue professionnelle majeure de basket-ball nord-américaine, Steve a la réputation d'inciter ses coéquipiers à donner le meilleur d'eux-mêmes. Il a reçu deux fois le titre de joueur par excellence de la NBA! Il a aussi été nommé athlète de l'année au Canada une fois, et athlète masculin de l'année à deux reprises. Mais, à mes yeux, c'est ce qu'il accomplit à l'extérieur du terrain qui fait de lui un superhéros.

Steve Nash, qui porte le n° 13, s'élance vers le panier durant la troisième partie des quarts de finale de l'Association de l'Ouest, lors des éliminatoires de la NBA en 2008.

« C'est toujours formidable de savoir qu'on peut exercer de l'influence sur les jeunes... »

Il a créé la Fondation Steve Nash qui est dédiée à l'aide à l'enfance. Par exemple, cette fondation parraine un programme de basket-ball auquel participent 8000 jeunes Canadiens! Comme le dit si bien Steve, «c'est toujours formidable de savoir qu'on peut exercer de l'influence sur les jeunes pleins d'espoir».

Faits saillants de la carrière de Steve
- **Joueur par excellence de la NBA:** en 2005 et 2006
- **Membre de l'équipe d'étoiles de la NBA:** en 2002 et 2003, et de 2005 à 2008
- **Trophée Lou-Marsh** (athlète de l'année au Canada): en 2005
- **Prix Lionel-Conacher** (athlète masculin de l'année au Canada): en 2005 et 2006
- **Prix de la citoyenneté J.-Walter-Kennedy** (remis pour des excellents services à la communauté): en 2007

Poser des questions
- Qui a écrit cette chronique? Quelle pouvait être son intention?
- Quelle opinion est exprimée?
- Comment pourrais-tu modifier ce texte pour le rendre plus neutre?

Trouver le sens d'un mot nouveau
- Dans quel contexte le mot est-il utilisé dans la phrase?
- Quels indices peux-tu trouver dans le mot (radical, préfixe, suffixe, terminaison, etc.)?
- À quels autres mots ce mot te fait-il penser?

Déterminer ce qui est important
- Quelles sont les idées principales de ce texte? Et les idées secondaires?
- Que devrais-tu retenir de ce texte?
- Qu'as-tu appris en lisant ce texte?

Interpréter des techniques médiatiques

Les médias utilisent une variété de techniques (ex.: éléments visuels, titre, langue, mise en pages, porte-parole, slogan) pour capter l'attention du public. Pour comprendre ces techniques, pose-toi les questions suivantes:

- Comment les titres captent-ils l'attention du public?
- Comment les éléments visuels (ex.: photos, schémas, diagrammes, tableaux) et leurs légendes peuvent-ils influencer le public? Comment peuvent-ils susciter une réaction du public?
- Quels faits, quelles données ou quelles citations ont été ajoutés pour appuyer l'opinion de l'auteur ou de l'auteure?

Résumer l'information à l'aide d'un organisateur graphique

Un organisateur graphique peut être utile pour planifier une chronique ou dégager la structure de celle-ci.

Les éléments visuels
- une photo qui capte l'attention
- une illustration qui renforce le message du titre
- une fiche descriptive

Le titre
- un titre accrocheur qui permet de prédire le contenu de l'article

Des techniques qui appuient l'opinion présentée

La langue
- des mots chargés d'émotion qui incitent le public à partager l'opinion de l'auteur ou de l'auteure, comme «superhéros» et «incroyable»

La mise en pages
- une disposition du texte intéressante et facile à suivre
- une citation mise en vedette

RÉFLÉCHIS... Quand tu liras d'autres chroniques, quelles stratégies te seront utiles? En quoi ces stratégies sont-elles semblables à celles que tu utilises pour lire d'autres genres de textes?

VINCE COLEMAN

Un exemple de bravoure

par Jacques Laberge, journaliste

Cette chronique mensuelle a pour but de faire connaître des gens remarquables. Aujourd'hui, nous vous présentons Vince Coleman, un héros qui a donné sa vie pour sauver 700 personnes lors de la plus grande explosion d'origine humaine à s'être produite au Canada.

On ne choisit pas d'être un héros. Vince Coleman travaillait comme télégraphiste pour le chemin de fer Intercolonial. Le 6 décembre 1917, Vince est décédé au moment où il lançait un message d'alerte au personnel d'un train qui se dirigeait vers la ville portuaire de Halifax. Vince voulait les prévenir que deux navires étaient entrés en collision, ce qui risquait de causer une explosion meurtrière. Ce geste de bravoure a sauvé la vie des 700 passagers du train, mais a malheureusement coûté celle de cet homme valeureux.

Le compte à rebours

Le soir du 5 décembre, deux navires attendent l'autorisation de manœuvrer. L'*Imo*, un navire de secours belge, est prêt à quitter le port de Halifax et le *Mont-Blanc*, un cargo français ancré au large, est prêt à y entrer. Le *Mont-Blanc* est chargé d'explosifs et de munitions !

Vers 7 h 30, le 6 décembre, le *Mont-Blanc* amorce son entrée dans le port et l'*Imo* lève l'ancre. L'*Imo* s'engage du mauvais côté. On s'en aperçoit, mais il est déjà trop tard. La collision se produit vers 8 h 45.

Une fumée épaisse et noire enveloppe le *Mont-Blanc*. Les secouristes

STRATÉGIES DE LECTURE

- Pose des questions.
- Trouve le sens d'un mot nouveau.
- Détermine ce qui est important.
- Interprète des techniques médiatiques.
- Résume l'information.

s'affairent. Des curieux se pressent sur l'embarcadère. Ils ne savent pas que le *Mont-Blanc* transporte un mélange infernal et qu'ils courent un grave danger. Vince Coleman, lui, en est pleinement conscient. Il était sur le point de quitter le triage pour aller se mettre à l'abri quand il s'est rappelé qu'un train transportant 700 passagers en provenance de Boston devait entrer en gare d'une minute à l'autre. Il fallait réagir. Un télégramme pourrait les prévenir du danger et les sauver. Vince connaît pourtant très bien le risque auquel il s'expose, car il sait que l'explosion est imminente. Mais il veut tenter d'éviter une autre terrible catastrophe et retourne à son poste de télégraphie.

La reconnaissance d'un héros

Vince Coleman réussit à donner l'alerte, mais la cargaison du *Mont-Blanc* explose peu après 9h. Le *Mont-Blanc* et l'*Imo* sont détruits; cette explosion dévastatrice fait environ 2000 morts, dont Vince, et 9000 blessés. L'explosion se fait

« Arrêtez le train. Un bateau de munitions va exploser au Quai 6... Adieu, les gars. »

[Traduction libre.]

ressentir à plus de 320 kilomètres. Halifax est ravagée en quelques secondes. Grâce au courage et à la vivacité d'esprit de Vince, 700 personnes ont la vie sauve. Plusieurs années plus tard, il sera reconnu dans la catégorie Héros au Temple de la renommée des chemins de fer du Canada.

Aujourd'hui, une partie de l'ancre du *Mont-Blanc* repose à l'endroit où elle a atterri le jour du désastre, à trois kilomètres du lieu de l'explosion. Elle pèse une demi-tonne. Aussi, on a construit la bibliothèque commémorative de l'arrondissement historique du nord de Halifax en tant que monument à la mémoire des victimes de cette cruelle tragédie de notre histoire.

Un manipulateur
télégraphique semblable
à celui utilisé par Vince Coleman.

Le Quai 6, où travaillait
Vince Coleman.

Le Quai 6,
après l'explosion.

RYAN HRELJAC

Un enfant hors du commun

par Jacques Laberge, journaliste

Cette chronique mensuelle a pour but de faire connaître des gens remarquables. Aujourd'hui, nous vous présentons Ryan Hreljac. Ce jeune Ontarien a décidé d'agir après avoir appris que des enfants africains mouraient chaque jour, faute d'eau potable.

Ryan Hreljac est né le 31 mai 1991, à Kemptville en Ontario. Un jour, alors qu'il n'est qu'en première année, Ryan apprend que des personnes sur la planète meurent par manque d'eau potable. Il est bouleversé à l'idée que des enfants en Afrique doivent parcourir des kilomètres pour s'approvisionner en eau et que celle-ci est parfois contaminée. Ryan juge la situation inacceptable et, le jour même, il se donne comme mission de construire des puits en Afrique !

Du rêve à la réalité

Ryan met tout le monde à contribution pour son premier puits. Il en parle à ses parents, à ses camarades, à ses enseignants. De janvier à avril 1998, il effectue divers travaux et réussit à amasser 70 $. Lorsqu'il remet sa contribution à Eau Vive, un organisme humanitaire canadien, il apprend que le forage d'un puits coûte 2000 $ et que les 70 $ remis ne permettent d'acheter qu'une simple pompe à main ! Plutôt que de baisser les bras, Ryan décide de continuer à amasser des fonds en donnant des conférences sur l'importance d'avoir accès à de l'eau potable. Il exécute aussi d'autres petits travaux.

À l'âge de neuf ans, Ryan est invité à choisir l'emplacement de son premier puits. Il choisit un endroit près de l'école d'Angolo, un village du nord de l'Ouganda, où un enfant sur cinq meurt avant l'âge de cinq ans. Ses efforts et son enthousiasme portent fruit. Ryan et sa cause retiennent l'attention: des articles et des entrevues leur sont consacrés. Les dons affluent. En 2000, les 70 $ se transforment en 750 000 $ et permettent le forage de plusieurs puits. Mais Ryan vise encore plus haut. Selon lui, toute l'Afrique devrait avoir accès à de l'eau potable.

Plus qu'une fondation... un message

Depuis, la fondation Les puits de Ryan a recueilli plus de 2,5 millions de dollars et a permis la construction de plus de 600 puits dans une quinzaine de pays en développement. Ainsi, plus de 650 000 personnes ont eu accès à de l'eau potable et à des services d'assainissement.

La fondation Les puits de Ryan vise à aménager des sources d'eau potable dans les pays en développement et à renseigner le public sur cette question. Par sa fondation, Ryan a montré qu'il faut se soucier des autres et qu'avec la collaboration tout est possible. Il a prouvé que même les enfants sont capables de grandes choses, qu'il faut faire preuve de détermination

pour bâtir un monde meilleur et que les efforts soutenus sont souvent récompensés.

Aujourd'hui âgé de 19 ans, Ryan a déjà reçu de nombreux prix et récompenses, dont le *World of Children Founders Award*, l'Ordre de l'Ontario, la Médaille de l'Ontario pour les jeunes bénévoles, la Médaille du service méritoire du Canada, le Prix canadien de la paix – volet jeunesse et le Prix 20 ados avec brio. L'UNICEF l'a même reconnu en tant que jeune leader mondial. En 2002, la gouverneure générale du Canada de l'époque, la très honorable Adrienne Clarkson, lui a remis la Médaille du mérite.

Le désir de vouloir faire une différence a été la motivation de Ryan. Nous pouvons tous contribuer à rendre le monde meilleur. Il suffit d'avoir un rêve et d'y croire.

Des milliers d'enfants ont maintenant accès à de l'eau potable grâce à Ryan et à sa fondation.

Ryan, en compagnie de l'honorable James K. Bartleman. Ryan reçoit la Médaille de l'Ordre de l'Ontario à Toronto, le 31 mars 2004.

MEASHA BRUEGGERGOSMAN

Une voix d'espoir pour l'Afrique

par Jacques Laberge, journaliste

Cette chronique mensuelle a pour but de faire connaître des gens remarquables. Aujourd'hui, nous vous présentons Measha Brueggergosman, une cantatrice de renommée mondiale. Measha prête sa voix et sa joie de vivre pour venir en aide aux jeunes victimes de la guerre du village de Patongo, situé dans le nord de l'Ouganda, en Afrique.

Measha Brueggergosman, née Measha Gosman, est originaire de Fredericton, au Nouveau-Brunswick. Elle est née le 28 juin 1977. Grâce à un programme d'immersion précoce, Measha apprend le français. Aujourd'hui, la soprano est considérée comme une étoile montante de la scène musicale canadienne. Elle est aussi reconnue sur la scène internationale pour la richesse de sa voix. Selon les critiques, elle est à la fois l'une des interprètes les plus talentueuses de l'heure et l'une des personnalités les plus dynamiques. Depuis l'âge de 20 ans, Measha interprète des airs dans plusieurs langues avec les plus grands orchestres symphoniques, dont ceux de Toronto et de Montréal. En octobre 2008, son premier album intitulé *Surprise*, où elle interprète un répertoire de jazz, permet au public d'apprécier toute la plasticité de sa voix.

Une ambassadrice de bonne volonté

Dans plusieurs régions d'Afrique, les gens souffrent de maladies qui nuisent à leur bien-être et à leur développement. En juin 2007, Measha devient ambassadrice canadienne de bonne volonté et elle prête sa voix, sa passion et son énergie à l'Association pour la médecine et la recherche en Afrique (AMREF). Cet organisme à caractère social a pour objectif de permettre aux personnes les plus vulnérables, particulièrement les mères et les enfants, d'accéder plus facilement à des soins de santé.

Measha se rend à deux reprises en Afrique pour voir le travail accompli par l'AMREF. Elle constate alors que l'accès à des services sanitaires convenables et à l'eau potable demeure un luxe pour plus de 1,8 million de personnes. Ses séjours dans le nord de l'Ouganda et du Kenya renforcent sa détermination à aider les jeunes à rompre le cycle de la pauvreté. De retour au Canada, la cantatrice décide de donner des concerts pour amasser des fonds qui serviront à changer cette situation inacceptable.

Un travail laborieux

Measha reconnaît qu'il y a beaucoup à faire dans les pays en développement. Elle sait que l'appro-

> « L'Afrique est un pays d'énergie, de générosité et d'espoir. »

visionnement en eau potable et l'aménagement d'équipements sanitaires convenables demandent beaucoup de temps. Cependant, elle espère qu'elle pourra contribuer à améliorer la situation. Malgré tout, Measha s'émerveille de voir comment des enfants, pourtant victimes d'une guerre civile, peuvent continuer à chanter et à danser. Measha voit dans leurs yeux et leurs sourires que la musique peut soulager même les plus démunis.

Par son travail, elle fait savoir au monde entier que les Canadiens et Canadiennes valorisent l'entraide et la bonne volonté.

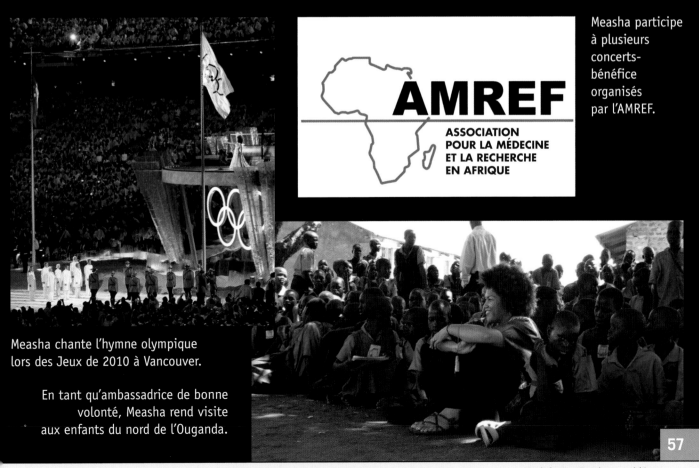

Measha participe à plusieurs concerts-bénéfice organisés par l'AMREF.

AMREF
ASSOCIATION POUR LA MÉDECINE ET LA RECHERCHE EN AFRIQUE

Measha chante l'hymne olympique lors des Jeux de 2010 à Vancouver.

En tant qu'ambassadrice de bonne volonté, Measha rend visite aux enfants du nord de l'Ouganda.

LOUISE ARBOUR

Un modèle inspirant

par Jacques Laberge, journaliste

Cette chronique mensuelle a pour but de faire connaître des gens remarquables. Aujourd'hui, nous vous présentons Louise Arbour, une Canadienne qui a mené un combat héroïque pour l'avancement des droits humains et de la justice dans le monde.

Énergique, fonceuse et déterminée, Louise Arbour a occupé le poste de Haut-Commissaire aux droits de l'homme à l'Organisation des Nations unies (ONU) de 2004 à 2008. Sa lutte pour le respect des droits humains et son combat pour la justice dans un monde où règne l'injustice lui ont mérité une reconnaissance internationale et ont fait d'elle une célébrité.

Un parcours exceptionnel

Née le 10 février 1947 à Montréal, Louise Arbour affiche un parcours hors de l'ordinaire. Cette Canadienne parfaitement bilingue semble prédestinée à défendre les droits humains et à accomplir de grandes réalisations.

Après des études en droit, Louise témoigne d'un intérêt marqué pour l'avancement des droits humains. Elle travaille alors à la Commission de réforme du droit du Canada. En 1987, elle devient la première femme et la première francophone juge à la Cour suprême de l'Ontario. En 1990, elle est nommée juge à la Cour d'appel de l'Ontario. Par un jugement, elle accorde, en 1992, le droit de vote aux détenus. Au printemps 1996, Louise devient procureure en chef du Tribunal pénal international (TPI) pour l'ex-Yougoslavie et le Rwanda. Ce tribunal, situé à La Haye, avait été mis

STRATÉGIES DE LECTURE

- Pose des questions.
- Trouve le sens d'un mot nouveau.
- Détermine ce qui est important.
- Interprète des techniques médiatiques.
- Résume l'information.

sur pied en 1993 par le Conseil de sécurité de l'ONU. En 1999, Louise Arbour devient juge à la Cour suprême du Canada. Elle occupe ce poste jusqu'en 2005.

Une victoire qui fait la différence

En tant que procureure au TPI de l'ONU en Yougoslavie et au Rwanda, Louise se donne le mandat de traduire les criminels de guerre de l'ex-Yougoslavie en justice. Lors des affrontements dans les Balkans et au Kosovo, ces personnes ont commis des atrocités: pillage, viol, persécution et massacre d'innocents. Louise veut les traquer, les arrêter et les mener en justice. Elle veut faire punir les impunis. Les divers dirigeants des milieux politiques et militaires n'apprécient guère cette intruse. Cependant, Louise persévère avec, comme seuls alliés, le capitaine de l'armée John Tanner, les juristes de son équipe ainsi que son traducteur bosniaque. Ensemble, ils mettent tout en œuvre pour faire emprisonner les criminels.

« Je crois profondément en la valeur de la justice, du respect de la loi et de son application. »

Les efforts investis sont enfin récompensés. Le 1er avril 2001, l'ancien président yougoslave Slobodan Milosevic est arrêté et emprisonné pour abus de pouvoir et corruption. Accusé de crimes de guerre et de crimes contre l'humanité, il subit un procès très médiatisé devant le TPI pour l'ex-Yougoslavie à La Haye. Trouvé coupable, Milosevic est emprisonné. Le 11 mars 2006, il meurt dans sa cellule à La Haye.

Louise Arbour a reçu plusieurs prix et reconnaissances pour son admirable travail. Malgré les embûches, elle a su tenir tête à un dictateur pour que justice soit rendue.

Louise Arbour participe à de nombreuses activités liées à la défense des droits de l'homme.

Slobodan Milosevic est arrêté et emprisonné pour crimes de guerre et crimes contre l'humanité.

JOANNIE ROCHETTE

Un modèle de courage

par Jacques Laberge, journaliste

Cette chronique mensuelle a pour but de faire connaître des gens remarquables. Aujourd'hui, nous vous présentons Joannie Rochette, cette athlète canadienne qui a décidé d'aller de l'avant et de représenter son pays en patinage artistique, même après avoir appris que sa mère venait de décéder.

Joannie Rochette est née le 13 janvier 1986 à La Visitation-de-l'Île-Dupas, au Québec. Seulement 4 jours après le décès de sa mère, âgée de 55 ans, la patineuse artistique a gagné le cœur des Canadiens et Canadiennes en remportant une médaille de bronze aux Jeux olympiques d'hiver de 2010 à Vancouver, en Colombie-Britannique.

Un beau parcours

Joannie a chaussé les patins pour la première fois à l'âge de 22 mois. À six ans, elle a commencé son entraînement. Depuis, son talent, sa persévérance, sa discipline et le soutien de ses proches l'ont amenée à se surpasser et à monter sur divers podiums. Ses parents l'ont toujours encouragée à persévérer. Son père n'a jamais compté ses heures de travail; il voulait offrir à sa fille l'entraînement qu'elle souhaitait. Sa mère était sa plus fidèle critique et juge, son amie, sa complice. Elle était sa source d'inspiration, sa motivation à aller toujours plus loin et à faire mieux.

Joannie est rapidement passée de la scène nationale à la scène internationale. Elle a été la première patineuse canadienne à remporter le titre national dans toutes les catégories (novice, junior et senior). Joannie a toujours atteint les buts qu'elle s'était fixés et son dynamisme ne lui a jamais fait défaut. L'objectif de patiner devant les cinq anneaux olympiques dans son propre pays en 2010 allait de soi. C'était un rêve qu'elle a même dépassé !

Un rêve dépassé

Le samedi 20 février 2010, Normand et Thérèse Rochette arrivent à Vancouver pour encourager leur fille dans sa quête olympique. Le dimanche matin, Normand annonce à Joannie que sa mère a succombé à une crise cardiaque quelques heures après leur arrivée à Vancouver. Joannie avoue avoir pensé quelques secondes à tout laisser tomber tellement le chagrin la terrassait. Mais elle s'est vite rappelé que sa participation aux Jeux olympiques de Vancouver était un rêve

> « Je suis heureuse d'avoir patiné comme une battante, comme ma mère me l'a enseigné. »

qu'elle partageait avec sa mère. Il n'y a donc rien d'étonnant à ce que Joannie ait décidé de poursuivre la compétition. Dans ces circonstances pénibles, elle livre son plus beau programme court de la saison et décroche la médaille de bronze !

Joannie n'a jamais envisagé de mettre ses études de côté. Ses déplacements aux quatre coins du monde pour participer à des compétitions compliquent les choses, mais elle persévère. Elle compte poursuivre des études universitaires dans un domaine lié à la santé ou à la médecine. Une chose est certaine : elle a montré qu'il ne faut jamais abandonner ses rêves.

Joannie retrouve son père, Normand Rochette, et son entraîneuse, Manon Perron, après avoir reçu sa médaille de bronze.

Joannie envoie un baiser d'adieu à sa mère après sa prestation incroyable aux Jeux olympiques de 2010 à Vancouver.

Notre championne est puissante, dynamique et perfectionniste.

DES HÉROS PARMI NOUS

par Cathy Fraccaro

Le 22 mars 2006, les passagers du *Queen of the North* sont secourus.

VHF (*very high frequency*) : très haute fréquence.

Prépare-toi !

- Fais des prédictions. Observe les photos. Quelles prédictions peux-tu faire sur le sujet de cet article ? Sur quoi te bases-tu pour faire ces prédictions ?

- Pose des questions. Lis les intertitres. Quelles questions pourrais-tu te poser avant de commencer à lire ce texte ?

LES RÉSIDENTS DE HARTLEY BAY SONT DEVENUS DES HÉROS EN RÉAGISSANT SPONTANÉMENT À UNE SITUATION D'URGENCE. ILS SONT MAINTENANT DES DÉFENSEURS DE L'ENVIRONNEMENT.

Les résidents de Hartley Bay n'ont pas perdu de temps quand ils ont entendu des appels de détresse un peu après minuit le 22 mars 2006. Le traversier *Queen of the North* venait de s'échouer dans les eaux agitées au large de la côte nord de la Colombie-Britannique. Ces gens n'ont pas tardé à porter secours aux naufragés.

J'ai beaucoup d'admiration pour les personnes qui font spontanément preuve de bravoure et d'altruisme. L'héroïsme des résidents de Hartley Bay a retenu l'attention des médias nationaux et internationaux. Par la suite, ces personnes ont décidé de retourner sous les projecteurs pour défendre l'environnement.

DES VILLAGEOIS QUI RÉAGISSENT VITE ET BIEN

Hartley Bay est une petite communauté de Premières Nations sur la côte de la Colombie-Britannique. Situé au sud de Prince Rupert, le village est accessible uniquement par petits avions ou par bateau. La bande Gitga'at [GUIT-guat], de la nation Tsimshian [Sim-SHI-an], y habite. On y assure une veille radio en permanence, et presque tout le monde a une radio **VHF**.

Une famille de survivants.

Les villageois savaient comment réagir. Après avoir alerté la garde côtière, des bénévoles ont ramassé toutes les couvertures et tous les vêtements chauds qu'ils pouvaient trouver. Certains ont fait du café et du chocolat chaud et ont préparé de la nourriture, transformant le centre culturel local en un véritable centre de sauvetage. Même les jeunes enfants ont mis la main à la pâte. Sous une pluie battante et dans une obscurité totale, d'autres bénévoles se sont précipités vers leurs bateaux pour prêter secours.

COMME DANS UNE SCÈNE DE *TITANIC*

Environ 20 minutes après avoir entendu les appels de détresse, les secouristes étaient sur place. Des témoins ont rapporté avoir vu le *Queen of the North* juste avant qu'il ne sombre. Le traversier, qui pouvait accueillir 700 passagers et 115 voitures, brillait sous le ciel d'orage. Cinq canots de sauvetage remplis de passagers dérivaient dans les eaux agitées.

Parti de Prince Rupert, le traversier de 125 mètres de long effectuait une traversée de nuit pour se rendre à Port Hardy. Il avait dévié de sa route et heurté l'île Gil. Pendant que les secouristes et les survivants assistaient impuissants à la scène, le navire a sombré dans les eaux du passage Wright.

Les secouristes ont embarqué les passagers et les ont amenés au quai de Hartley Bay. Seulement 2 des 101 passagers et membres d'équipage du *Queen of the North* n'ont pas survécu au naufrage.

Ernie Westgarth a louangé les villageois pour le sauvetage et pour les soins qu'ils ont donnés aux survivants. «Il faut le dire haut et fort, les citoyens de Hartley Bay sont des héros, a-t-il déclaré. Ils avaient déjà participé à un sauvetage, mais jamais d'une telle ampleur.»

LES HÉROS DE HARTLEY BAY

En avril, les médias se sont emparés de l'événement. Les villageois sont devenus «les héros de Hartley Bay». Ils ont d'abord reçu un prix provincial – le premier jamais accordé à une communauté en reconnaissance d'un geste héroïque.

Bruce Reese sur son bateau qui a servi lors du sauvetage des survivants du *Queen of the North*.

Puis, le 3 mai 2006, les villageois ont eu droit à une Mention d'honneur de la gouverneure générale de l'époque, la très honorable Michaëlle Jean, pour services éminents. C'est l'honorable Iona Campagnolo, lieutenante-gouverneure de la Colombie-Britannique, qui leur a remis cette distinction. «Au nom de la population canadienne, je remercie sincèrement les résidents de Hartley Bay qui [...] ont uni leurs efforts et fait l'impossible pour secourir et aider les personnes qui se trouvaient à bord du traversier *Queen of the North*.»

En juin, *Time Magazine* a consacré le pêcheur Bruce Reese l'un des héros canadiens de l'année. Cet homme de 49 ans a manœuvré son bateau de 7 mètres de long dans les eaux tumultueuses pour secourir les survivants qui avaient pris place dans les canots de sauvetage.

NOS RESSOURCES NATURELLES : TOUT CE QUE NOUS AVONS

De façon **avisée**, les résidents de Hartley Bay ont attiré l'attention des médias sur un fait plus important. Quand le *Queen of the North* a coulé, il a laissé s'échapper du diesel et d'autres polluants dans leurs eaux de pêche ancestrales. Les villageois ont apprécié les louanges et les récompenses, mais ce qu'ils voulaient surtout, c'est que les 200 000 litres de carburant contenus dans les réservoirs soient récupérés.

«Nos ressources naturelles sont tout ce que nous avons, a déclaré Cam Hill, professeur et conseiller de bande. Chaque fois qu'une de ces ressources est perturbée, l'effet se fait ressentir sur tout ce qui nous entoure – comme un effet domino. Franchement, la meilleure façon de nous remercier, ce serait de nous redonner ce que nous avions avant le naufrage : un environnement propre.»

Les résidents de Hartley Bay sont inquiets, car l'épave est demeurée au fond de l'océan pendant plus de deux ans. Personne ne sait s'il reste du diesel dans le navire. Les villageois affirment que du carburant monte encore à la surface en bouillonnant et ils ne peuvent plus pêcher dans le secteur. Ils sont en colère, car rien n'a été fait, alors que les autorités sont au courant de la contamination.

(De gauche à droite, en avant-plan) Matt Hill, membre de la bande Gitga'at, Scott Wright, d'une entreprise de nettoyage des eaux, Barry Penner, ministre de l'Environnement, et Bruce Reese, conseiller de la bande de Hartley Bay, discutent de la décontamination du site du naufrage du *Queen of the North*.

Avisé, avisée : qui agit de façon réfléchie ou judicieuse.

Littératie en action

La bande Gitga'at pense que les polluants ont causé, et vont continuer à causer des dommages aux sites de pêche. En mars 2008, cette communauté a entrepris une action contre la société du traversier pour dommages aux habitats.

Je trouve ironique que les héros qui ont affronté les eaux tumultueuses pour sauver les passagers et l'équipage du *Queen of the North* doivent se battre de nouveau – cette fois pour sauver leur moyen de subsistance.

DE VRAIS HÉROS PARMI NOUS

Le soir du naufrage du *Queen of the North*, les citoyens de Hartley Bay ont accompli spontanément un geste de bravoure. Je pense que le courage qu'ils manifestent depuis, en attirant l'attention des médias sur un possible désastre environnemental, mérite également qu'on les reconnaisse comme de véritables héros.

Réagis au texte.

1. L'auteure décrit les résidents de Hartley Bay comme des «défenseurs de l'environnement». Quels éléments du texte appuient ce point de vue?

2. Avec un ou une camarade, fais une entrevue télévisée sous forme de jeu de rôle. Dressez une liste de questions, puis agissez à tour de rôle comme intervieweur ou intervieweuse, et comme personne interviewée. La personne interviewée pourrait être un survivant, une secouriste ou un membre de l'équipage. Déterminez à l'avance le point de vue de chaque personne interviewée.

Enrichis ton vocabulaire.

3. *VHF* est un sigle – une abréviation formée des premières lettres de l'expression *very high frequency*. Trouve au moins cinq autres sigles et note les mots à partir desquels ils sont formés.

COFFRE À OUTILS
ÉCRITURE

■ Observe le texte. Les auteurs et auteures peuvent appuyer leurs idées ou leurs opinions en choisissant d'inclure ou d'exclure certaines choses. Dans ce texte, on présente le point de vue de certaines personnes et pas celui d'autres personnes. Lesquels sont présentés? Lesquels sont exclus?

■ Travaille avec un ou une camarade. Rédigez un communiqué de presse au nom des résidents de Hartley Bay pour obtenir une aide environnementale. Dressez une liste d'arguments à inclure dans votre communiqué pour plaider leur cause et défendre leur point de vue.

DES COMPAGNONS D'ÉVASION AU SERVICE DU MI 9

par Jacques Laberge, journaliste

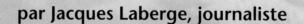

Durant la Seconde Guerre mondiale, des Canadiens français ont été engagés au service britannique des renseignements, la *Military Intelligence*, section 9 (MI 9). Leur mission était de rescaper des aviateurs alliés dont les avions avaient été abattus en France et de s'assurer qu'ils soient escortés sains et saufs hors du pays. Parmi les agents secrets canadiens les plus connus, il y avait Raymond Labrosse et Lucien Dumais. Cet article vous permettra de connaître ces remarquables compagnons d'évasion et leur mission fascinante.

Prépare-toi !

- Utilise tes connaissances. Lis le titre et l'introduction, puis observe les photos. Que connais-tu à ce sujet ?

- Pose des questions. Qu'aimerais-tu apprendre en lisant ce texte ?

En 1944, c'est la guerre. Les troupes allemandes d'Adolphe Hitler occupent la France. Le message «Bonjour, tout le monde à la maison d'Alphonse», entendu au réseau français de la British Broadcasting Corporation (BBC), l'équivalent de la Société Radio-Canada, annonce le début de la mission d'évasion: l'opération Bonaparte. Cette opération est primordiale à l'intérieur du vaste réseau d'évasion nommé *Shelburne*. En fait, ce réseau deviendra le plus efficace de tous ceux qui ont existé pendant la Seconde Guerre mondiale.

Raymond Labrosse (celui qui salue à gauche) et Lucien Dumais (celui qui salue à droite) ont reçu une Mention d'honneur du gouvernement français en juin 1984 lors d'une cérémonie qui s'est déroulée à Plouha, en Bretagne. L'événement avait pour but de souligner leur contribution exceptionnelle à l'opération Bonaparte durant la Seconde Guerre mondiale.

Littératie en action

Une équipe invincible

Lucien Dumais et Raymond Labrosse étaient deux militaires canadiens-français bilingues, originaires de Montréal, au Québec. Les services secrets britanniques étaient à la recherche d'agents qui parlaient couramment le français pour effectuer des missions en France pendant la guerre. Ainsi, à l'âge de 20 ans, Labrosse est devenu le premier agent canadien du MI 9. Pour sa part, Dumais avait déjà été fait prisonnier par les troupes allemandes à Dieppe, en France. Après avoir réussi à s'évader, il avait décidé d'aider d'autres personnes à s'échapper. Les deux militaires sont devenus agents secrets du MI 9 en août 1942. Ils possédaient les qualités requises pour ce genre de travail et ils avaient soif d'aventure. Ensemble, ils ont formé l'une des plus efficaces équipes envoyées en France par le MI 9 pendant l'occupation allemande.

Une mission dangereuse

Dumais et Labrosse étaient les éléments pivots de l'opération Bonaparte. En tant que membres du réseau Shelburne, ils avaient pour mission de rescaper des aviateurs alliés, dont les avions avaient été abattus en France par les forces allemandes, et d'assurer leur évasion. Au Canada, les deux agents avaient reçu une formation intensive. Au moment de partir pour la France, ils avaient dans leurs valises des plumes qui lançaient du gaz lacrymogène, des boussoles dissimulées dans des boutons, de l'argent et de fausses pièces d'identité. Lucien Dumais, alias Lucien Desbiens à Paris et alias Léon en Bretagne, était le chef du réseau. À Paris, il était mieux connu comme entrepreneur de pompes funèbres dans la ville d'Amiens. Pour sa part, Raymond Labrosse, alias Marcel Desjardins ou Claude selon qu'il était à Paris ou à Plouha, était le commandant en second et l'opérateur radio. À Paris, on le connaissait comme vendeur d'appareils médicaux électriques.

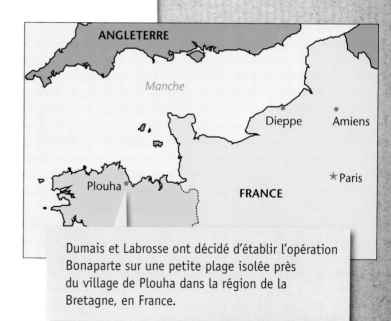

Dumais et Labrosse ont décidé d'établir l'opération Bonaparte sur une petite plage isolée près du village de Plouha dans la région de la Bretagne, en France.

La maison d'Alphonse

La plage de Plouha.

Cette plaque est fixée aux rochers sur la plage de Plouha pour commémorer le sauvetage d'un groupe d'alliés.

Pour atteindre leur objectif, les deux agents devaient établir un vaste réseau de volontaires. Mais d'abord, ils devaient trouver un lieu sûr où loger les aviateurs en attendant l'évasion. Ils devaient rassembler des provisions et des vêtements. Également, ils devaient convaincre des médecins de soigner les blessés et les malades. Enfin, ils devaient trouver des faussaires qui accepteraient de fabriquer des pièces d'identité. Leur instinct et leur jugement ont constitué des atouts indispensables. La moindre erreur aurait pu leur coûter la vie.

Dumais et Labrosse ont enfin décidé d'établir l'opération Bonaparte sur une petite plage isolée près du village de Plouha, sur le littoral de la Bretagne. Ils ont trouvé une modeste maison de ferme en pierre, propriété de Jean et Marie Gicquel, située près de la plage. Les agents y amenaient les aviateurs dans le plus grand secret. Ensuite, ils attendaient le signal. De cette demeure appelée *la maison d'Alphonse*, les aviateurs étaient transportés en chaloupe hors du pays en passant par la Manche. Le trajet était d'environ 140 kilomètres.

LE SAVAIS-TU?

Tu connais sûrement le célèbre espion James Bond, l'agent 007. Son créateur, Ian Fleming, travaillait pour le service britannique du renseignement naval pendant la Seconde Guerre mondiale. Même si Bond lui-même est une fiction, Fleming s'est inspiré de gens avec qui il travaillait pour créer plusieurs des personnages de ses 13 romans.

Afin d'éviter l'invasion de leurs ennemis, les Allemands surveillaient régulièrement les côtes de la France à bord d'embarcations comme celle-ci sur la Manche.

La première évasion a eu lieu la nuit du 29 janvier 1944. C'était une nuit sans lune, une nuit idéale pour ce genre d'opération. Les agents étaient assemblés autour de la radio avec 16 aviateurs. Ils attendaient que le réseau français de la BBC annonce le signal : « Bonjour, tout le monde à la maison d'Alphonse. » Du haut d'une falaise, quelqu'un a signalé en morse la lettre « B » pour *Bonaparte*. Aussitôt, des hommes dans une chaloupe ont manœuvré des rames enveloppées de linge, pour étouffer le bruit, et se sont dirigés vers la plage. Leur mission était de récupérer les aviateurs alliés derrière les lignes ennemies. Quelques minutes plus tard, les aviateurs prenaient la mer. La première évasion était une réussite !

Durant l'opération Bonaparte, 307 aviateurs alliés ont retrouvé leur liberté grâce au réseau Shelburne et au travail des agents secrets Dumais et Labrosse.

Réagis au texte.

1. Avec un ou une camarade, discute de la question suivante. En quoi le travail d'agent secret peut-il être intéressant ? Si tu avais à interviewer des personnes sur le travail d'agent secret, quelles questions leur poserais-tu ?

2. En équipe, pensez à une personne qui pourrait apprécier le texte que vous venez de lire, puis composez un message pour lui recommander ce texte. Dans un court paragraphe, expliquez-lui pourquoi ce texte a des chances de lui plaire.

Enrichis ton vocabulaire.

3. Relève les mots ou groupes de mots que l'auteur utilise pour éviter la répétition des noms de Labrosse et Dumais. Compare ta liste avec celle d'un ou d'une camarade.

COFFRE À OUTILS
ÉCRITURE

- Observe le texte. En quoi cet article est-il semblable à d'autres textes que tu as lus ? En quoi est-il différent ? Comment l'auteur a-t-il présenté l'information ? En quoi la présentation donne-t-elle le goût de lire ce texte ?

- Travaille avec un ou une camarade. D'après toi, l'auteur a-t-il pensé aux destinataires de son texte lorsqu'il en a choisi les mots ? Comment ? Quelles images l'auteur a-t-il créées à l'aide des mots ? En quoi le choix des mots est-il important ?

Écrire une chronique

Emily a écrit une chronique sur une personne qu'elle considère comme une héroïne. Observe son travail.

Sujet	Une héroïne locale
Intention	Présenter une héroïne de notre communauté
Public cible	Mes camarades de classe
Forme du texte	Chronique

Les idées

J'ai donné des détails intéressants pour appuyer mon opinion.

Le choix des mots

J'ai utilisé un langage persuasif (ex.: «devraient y penser deux fois», «véritable»).

Les conventions linguistiques

J'ai utilisé une liste de vérification pour réviser et corriger mon travail.

Une étudiante d'Oakdale sauve un enfant de la noyade !

par Emily Culp

La directrice de l'école, madame Fernandes, félicite Kayla Chen. Kayla tient la plaque qui lui a été remise.

À mon avis, les personnes qui croient que les héros n'existent que dans les bandes dessinées, les jeux vidéo ou les films devraient y penser deux fois !

Kayla Chen a sauvé un jeune enfant de la noyade. Je pense que cela fait d'*elle* une véritable héroïne.

À l'école élémentaire d'Oakdale en Ontario, tout le monde a tenu à féliciter Kayla, une élève de huitième année qui a sauvé un enfant. Kayla était dans la cuisine quand elle a entendu un cri, puis un plouf dans la cour de la maison voisine. En regardant par la fenêtre, elle a vu que Grayson Cully, un enfant de deux ans, était seul dans la piscine familiale.

Elle s'est précipitée et a tiré Grayson hors de l'eau. Les grands-parents de l'enfant sont sortis en toute hâte de la maison et ils ont composé le 911.

Heureusement, Grayson n'a pas eu besoin de se rendre à l'hôpital. Mais les employés des Services médicaux d'urgence (SMU) ont été impressionnés par la vivacité d'esprit de Kayla.

Lors de la réunion de l'école, monsieur et madame Cully ont exprimé leur gratitude à Kayla, et les employés des SMU lui ont remis une plaque soulignant son courage. La directrice de l'école, madame Fernandes, a également pris la parole. «Chaque jour, de petits événements mettent notre force de caractère à l'épreuve, a-t-elle déclaré. C'est formidable de voir qu'une personne peut se montrer à la hauteur quand l'enjeu est aussi important.»

- Dresse une liste de personnes qui, selon toi, ont accompli quelque chose d'héroïque, de remarquable ou de particulier. Choisis ensuite celle qui t'impressionne le plus.
- Consulte plusieurs sources pour recueillir des renseignements sur cette personne.
- Sélectionne l'information, puis organise-la (idées principales et secondaires).
- Demande une rétroaction à un ou à une camarade et révise ton travail.

Écris une chronique.

À ton tour d'écrire une chronique sur une personne qui a accompli quelque chose d'héroïque ou de remarquable.

Pour t'aider, pose-toi les questions suivantes:

- En quoi ce que cette personne a accompli est-il héroïque ou remarquable?
- Qui lira ma chronique?
- Qu'est-ce que je veux faire comprendre à mes lecteurs et lectrices?
- Quels renseignements vais-je fournir pour appuyer mon opinion (ex.: citations, données, mention de prix)?

Note tes idées dans un organisateur graphique. Cela te sera utile au moment de rédiger ta chronique.

Les éléments visuels
– une photo de la directrice de l'école et de Kayla Chen

Le titre
– un titre accrocheur qui donne une idée du contenu de l'article et qui donne le goût de lire la chronique

Des techniques qui appuient l'opinion présentée

La langue
– des mots chargés d'émotion et persuasifs comme «véritable héroïne», «courage», «formidable».

La mise en pages
– titre en couleur, photo, texte en deux colonnes
– légende explicative sous la photo
– citation de madame Fernandes

RÉFLÉCHIS

- Quels critères pourrais-tu utiliser pour évaluer ta chronique? Notes-en trois et évalue ton texte à l'aide de ces critères.
- Quel aspect a été le plus réussi?
- Quel aspect devras-tu améliorer?

Tu es mon

Quand tu oses te lever et te prononcer,
Quand, dans les moments durs, tu sais me faire rire,
Quand tu sais aider les autres et ouvrir ton cœur,
Quand tu accomplis tes rêves, ou ta destinée,
Quand, dès le matin, tu portes ton beau sourire,
Quand tu fais des choses sans penser à l'honneur.
Merci d'être et de rester qui tu es.

Quand tu n'as pas à mettre un masque pour aider,
Quand tu te lèves tôt pour payer les factures,
Quand, avec les gens, tu résistes à la pression,
Quand tu pardonnes à tous ceux qui t'ont fait pleurer,
Quand tu ne te laisses pas faire la dictature,
Quand, à l'école, tu réussis ta session.
Merci d'être et de rester qui tu es.

Prestation : action de se produire en public, par exemple pour un ou une artiste.

Quatuor : groupe formé de quatre personnes qui composent, jouent de la musique ou chantent.

Écrou : pièce de métal percée d'un trou et conçue pour recevoir une vis ou un boulon.

Prépare-toi !

- Fais des liens. Est-ce que chacun de nous peut devenir un héros ou une héroïne ? As-tu déjà lu un article ou un livre au sujet d'une personne qui a accompli un geste héroïque ? Qu'a-t-elle fait d'héroïque ?

- Pose des questions. Quelles qualités font d'une personne un héros ou une héroïne ? Quelles questions voudrais-tu poser à ton héros ou à ton héroïne ?

héros...

par Émile St-Pierre

Quand, comme un lion, tu as la médaille d'or,
Quand pour moi tu fais apparaître un bon souper,
Quand tu fais tes premiers pas, toi, petit bambin,
Quand tu fais une **prestation** en **quatuor**,
Quand, pour amuser, tu les as entourloupés,
Quand tu donnes du temps pour protéger les babouins.
Merci d'être et de rester qui tu es.

Quand tu aides les plus jeunes de ton quartier,
Quand tu n'as pas peur de tomber sur les genoux,
Quand, dans ton domaine, tu es le roi adroit,
Quand tu prends ton livre, lis mots et phrases aux aînés,
Quand tu vis ou que tu visses tes propres **écrous**,
Quand tu te bats, dans les débats, pour tous leurs droits.
Merci d'être et de rester qui tu es.

Réagis au texte.

1. Selon toi, est-ce qu'il est facile d'être un héros ou une héroïne ? Discute de ta réponse avec un ou une camarade.

2. Qu'as-tu appris en lisant ce poème ? Partage ton opinion avec un ou une camarade. Ensemble, écrivez un court paragraphe pour répondre à cette question.

Enrichis ton vocabulaire.

3. Relève les rimes du poème. Dans chaque cas, trouve d'autres mots qui riment. Les sons peuvent être différents de ceux du poème initial, mais tu dois t'en tenir au même sujet.

COFFRE À OUTILS
COMMUNICATION ORALE

Avec un ou une camarade, écris un poème téléphonique de 10 vers. Chaque vers représentera un chiffre du numéro de téléphone de votre choix (incluant l'indicatif régional). Le nombre de mots dans un vers doit correspondre au chiffre qu'il représente dans le numéro de téléphone. Par exemple, pour le numéro de téléphone fictif 613 123-5555, le 1er vers comptera 6 mots, le 2e vers 1 seul mot, le 3e vers, 3 mots, et ainsi de suite jusqu'au dernier vers, qui comptera 5 mots. Lisez votre poème à la classe. Pensez à la manière dont vous pourriez utiliser vos voix lors de la présentation. Accompagnez votre présentation d'effets sonores ou de musique pour créer l'ambiance désirée.

Présenter un ou une porte-parole

Les célébrités, les idoles, les héros et héroïnes sont souvent invités à parler de leurs réussites pour motiver l'auditoire. En raison de l'image qu'elles projettent, ces personnes sont aussi parfois sollicitées pour soutenir une cause.

Présenter un ou une porte-parole

Le recours à un ou à une porte-parole peut être utile pour attirer l'attention du public sur une cause ou un événement.

Démarche

- Souhaite la bienvenue à l'auditoire, présente-toi et explique le but de la présentation.
- Explique en quoi le choix du ou de la porte-parole semble approprié pour soutenir la cause.
- Trace brièvement le portrait du ou de la porte-parole (ex.: son lieu de naissance, son enfance, ses études, son parcours, son lien avec la cause, son image, ses valeurs).
- Souligne les grandes réussites du ou de la porte-parole.
- Invite l'auditoire à accueillir le ou la porte-parole en l'applaudissant chaleureusement.

POUR T'AIDER...

- Assure-toi de bien prononcer le nom du ou de la porte-parole.
- Essaie de ne pas lire pendant toute la présentation.
- Souris et fais preuve d'enthousiasme devant ce ou cette porte-parole.

Avec des camarades, choisis une cause (ex. : suggérer et apporter des changements dans sa communauté pour contribuer à la sauvegarde de l'environnement, soutenir une banque alimentaire de la région). Ensemble, organisez une présentation pour faire connaître votre cause et expliquer pourquoi vous avez choisi ce ou cette porte-parole.

- Déterminez qui sera le ou la porte-parole en fonction de la cause à défendre.
- Répartissez-vous les tâches à accomplir.

Assurez-vous de choisir un ou une porte-parole qui convient à la cause. Pourquoi cette personne sera-t-elle crédible aux yeux de votre auditoire ?

Votre rôle consiste à susciter de l'intérêt pour votre porte-parole. Assurez-vous d'en parler avec enthousiasme dans votre présentation.

Notez vos principales idées sur des fiches. Essayez différentes façons d'organiser vos idées, selon le message que vous souhaitez communiquer.

Peaufinez votre présentation en répétant devant votre groupe. Invitez les membres de votre groupe à vous faire part de leurs commentaires.

RÉFLÉCHIS.

- Quels moyens as-tu utilisés pour t'assurer de la clarté de ton message ?
- Que retiens-tu des commentaires reçus ? Qu'est-ce qui te sera utile pour d'autres présentations à venir ?
- Que pourrais-tu améliorer la prochaine fois ?

Rintintin : un héros légendaire

par Sylvie Leblanc, journaliste

Qui est Rintintin ? Peut-être as-tu déjà vu un vieux film ou une série télévisée mettant en vedette un chien berger allemand qui portait ce nom ? Peut-être ton grand-père et ta grand-mère avaient-ils un chien qui s'appelait ainsi. Une série de chiens, qui ont tenu des rôles à la télévision et au cinéma dans les années 1950 et 1960, se sont appelés Rintintin. Mais, dans les faits, il n'y a eu et il n'y aura jamais qu'un seul Rintintin. Ce héros de l'écran a bel et bien existé.

Prépare-toi !

- Fais des liens. As-tu un animal de compagnie ? Comment un animal de compagnie peut-il devenir un héros ? As-tu déjà vu un film qui mettait en vedette un animal ? Que trouves-tu le plus captivant dans ce genre de films ?

- Utilise tes connaissances. Connais-tu des animaux de la télévision ou du cinéma qui sont traités comme des héros ? Quels exploits ont-ils accomplis pour mériter ce titre ?

Le célèbre Rintintin est né en Lorraine, en France, le 10 septembre 1918, pendant la Première Guerre mondiale. Le 15 septembre 1918, Lee Duncan, un caporal de l'armée américaine, trouve une chienne de race berger allemand avec ses cinq chiots, dans les décombres d'un chenil ravagé par un bombardement.

Le caporal choisit deux chiots, un mâle et une femelle, qu'il nomme Rintintin et Nénette. Les quatre autres chiens sont pris en charge par d'autres membres de son bataillon. Au campement, les chiens ne sont pas les bienvenus. Lee Duncan n'a d'autre choix que de faire en sorte qu'ils soient utiles ou il devra s'en défaire. Rintintin devient messager et apprend à porter secours aux soldats. Il est doué. Il devient indispensable.

Rintintin est le fidèle compagnon des soldats à qui il porte secours.

Plusieurs soldats lui doivent leur vie. De tous les chiens trouvés par Duncan, seuls Nénette et Rintintin survivent à la guerre.

Le Rintintin de l'après-guerre

À la fin de la guerre, Lee Duncan ramène les deux chiens avec lui à Los Angeles, aux États-Unis. Malheureusement, la femelle, Nénette, tombe malade et meurt peu de temps après son arrivée.

Pendant la guerre, Lee Duncan avait remarqué les grandes capacités des bergers allemands. Il décide donc d'entraîner Rintintin, qui fait preuve d'une forme physique et d'une intelligence hors du commun. En 1922, Rintintin lui fait un cadeau : il franchit une palissade de 3,5 mètres de hauteur. Cet exploit attire l'attention du producteur Darryl Zanuck, qui réussit à convaincre Jack Warner de faire de Rintintin une vedette. Le succès de Rintintin à l'écran sera si grand qu'il contribuera à lancer la Warner Brothers, l'entreprise cinématographique naissante de Jack Warner et de ses frères. Rintintin, qui se montre dès ses débuts extrêmement doué, va connaître un succès phénoménal.

Une brillante carrière

C'est ainsi qu'en 1922, Rintintin amorce sa carrière en cinéma avec le film *The Man From Hell's River*[1], dans lequel il joue la doublure d'un loup. Mais c'est le film *Where The North Begins*[2], aussi tourné en 1922, qui le rend célèbre.

Entre 1922 et 1931, Rintintin participe à plusieurs expositions canines, se produit dans divers spectacles et publicités. Il tourne dans une trentaine de films. Entre 1930 et 1932, il a même son émission de radio.

---

1. L'homme qui vient de la rivière de l'enfer [traduction libre].
2. Là où le nord commence [traduction libre].

Rintintin en compagnie du réalisateur de films Sergeï Eisenstein.

Rintintin sur le plateau de tournage d'un film. Il est ici en compagnie du pilote Edward Bellande, cascadeur dans les films de Rintintin.

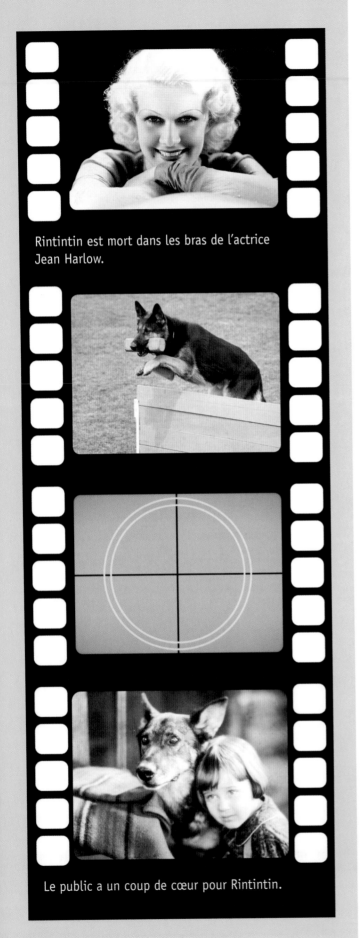

Rintintin est mort dans les bras de l'actrice Jean Harlow.

Le public a un coup de cœur pour Rintintin.

Une légende qui continue

En 1932, au cours d'un spectacle, Rintintin alors âgé, exécute un saut de plus de quatre mètres de haut. Impressionné, un cinéaste amateur propose 350 dollars à Lee Duncan pour filmer l'animal en action. Malheureusement, c'est le dernier tournage de Rintintin. Le célèbre chien meurt le 10 août 1932 dans les bras de Jean Harlow, une actrice qui a inspiré Marylin Monroe et qu'on appelait à l'époque *la blonde platine*.

Rintintin n'est pas tombé dans l'oubli. Depuis, plus de 10 générations de chiens ainsi nommés se sont succédé aux États-Unis. Dans la série télévisée de 1950 qui porte son nom, Rintintin est à la fois un chien de l'armée et celui d'un petit garçon. Le public a un coup de cœur pour cet animal qui réalise des exploits. L'héroïque Rintintin est tellement populaire, qu'il reçoit parfois jusqu'à 2000 lettres par semaine de ses admirateurs et admiratrices. Pendant plus de 80 ans, d'autres bergers allemands ont repris son rôle. Rintintin a inspiré des séries télévisées canadiennes et américaines, et des bandes dessinées. Son *personnage* a été adapté au cinéma. Il va sans dire que Rintintin est le chien qui a connu la plus phénoménale carrière de l'histoire au cinéma.

Son maître, Lee Duncan, l'a ramené en France, dans sa patrie d'origine. Rintintin est enterré au Cimetière des chiens à Asnières-sur-Seine, près de Paris. À sa mort, Rintintin recevait près de 100 000 lettres par semaine.

On a même attribué une étoile à Rintintin sur la célèbre Promenade de la gloire à Hollywood, aux États-Unis.

Réagis au texte.

1. Avec un ou une camarade, réponds à la question suivante : Comment pourriez-vous présenter l'information de ce texte dans un reportage multimédia ?

2. En équipe, écrivez un extrait du journal personnel du maître de Rintintin, dans lequel il parle de son chien. Lisez votre extrait à une autre équipe.

Enrichis ton vocabulaire.

3. On dit parfois qu'on a eu un *coup de cœur* pour quelque chose. Que veut dire cette expression ? Cela t'est-il déjà arrivé ? Explique ta réponse. Le mot *coup* et le mot *cœur* peuvent avoir différents sens et font souvent partie d'expressions. Par exemple, *avoir mal au cœur, avoir un grand cœur, connaître quelque chose par cœur, donner un coup de pouce, se remettre d'un coup dur.* Trouve d'autres expressions contenant les mots *cœur* et *coup*, et explique-les.

COFFRE À OUTILS
MÉDIA

Les médias nous font souvent connaître des gens remarquables et contribuent à accroître leur popularité. Plusieurs animaux présentés dans les médias ont connu la célébrité ou ont eu une influence parfois considérable sur le destin des humains.

■ Travaille avec un ou une camarade. Faites une recherche sur le sujet. En quoi l'histoire de ces animaux est-elle semblable à celle de Rintintin ? En quoi est-elle différente ? Présentez vos découvertes à une autre équipe.

Analyser
des messages

Chaque personne interprète les textes et les images à sa façon. Même si le message lancé au départ est le même, le message reçu peut varier d'une personne à l'autre. Observe les couvertures de revues suivantes.

■ Comment réagis-tu devant chacune de ces images ?

■ Quel effet veut-on créer en plaçant ces deux images côte à côte ?

■ Quel pourrait être le public cible de chacune de ces revues ?

■ Que sais-tu ou quelles inférences peux-tu faire concernant chacun de ces publics cibles ?

■ Quel message veut-on transmettre avec chacune des couvertures ?

■ Les couvertures de ces revues réussissent-elles à transmettre le message ? Pourquoi ?

Quel message veut-on communiquer aux lecteurs et lectrices ?

Quels sont les points de vue et les valeurs mis en évidence ?

Comment les différents publics pourraient-ils réagir ?

Fais preuve d'esprit critique. Avec un ou une camarade, trouve une image d'une célébrité, d'un héros ou d'une idole qui prête à controverse et qui suscite différentes réactions dans le public.

Analyser des messages

En quoi cette image représente-t-elle vraiment la personne?

- Cherchez d'où provient l'image.
- Notez ce que vous connaissez déjà à propos de la source de l'image ainsi que les indices qu'elle vous fournit.
- Définissez le public cible.
- Déterminez les techniques médiatiques utilisées pour intéresser le public cible (ex.: slogan, titre accrocheur, personnages connus).
- Nommez des réactions que les gens pourraient avoir en regardant l'image retenue.
- Dégagez le message qu'on voulait passer.
- Discutez de la façon dont les divers médias construisent l'image d'une célébrité.

POUR T'AIDER...

- Détermine si l'image capte l'attention.
- Dégage les mots percutants et repère les images qui sont susceptibles de susciter des réactions.
- Demande-toi quels modes de vie, valeurs et points de vue sont exclus.

- Avec une autre équipe, discutez des résultats de votre analyse.

RÉFLÉCHIS...

En quoi l'analyse des messages médiatiques aide-t-elle à comprendre la façon dont les célébrités construisent leur image? Justifie ta réponse.

L'étiquette

par Julie Leblanc, journaliste

La publicité est partout. Même si on ne regarde pas la télévision ou qu'on n'ouvre pas le journal, il est difficile d'y échapper. En effet, comment éviter les panneaux publicitaires dans la rue ou sur les autobus ? De plus en plus, les jeunes sont influencés par la publicité. Les entreprises, qui sont toujours à la recherche d'astuces pour inciter les jeunes à acheter, ont parfois recours à des célébrités pour promouvoir leurs produits. Malheureusement, on ne peut pas seulement se fier à l'image qu'elles projettent. Avant d'acheter un produit, il est toujours sage de lire l'étiquette qui l'accompagne.

est-elle plus importante que la vedette ?

Les spécialistes du marketing doivent sans cesse faire preuve de créativité et d'imagination pour vendre un produit et capter l'attention des consommateurs et consommatrices. Autrefois, l'utilisation d'une personnalité connue, respectée et aimée du public était suffisante pour susciter l'intérêt. Les annonces pouvaient prendre la forme d'une affiche, d'un message télévisé ou radiodiffusé. Elles servaient à vendre un service comme ceux d'une agence immobilière, une marque comme celle d'une voiture, ou un produit de consommation comme des céréales santé ou du yogourt.

Très vite, les consommateurs et consommatrices associaient la célébrité à un service ou à un produit. C'était nouveau, et même considéré comme une technique de marketing géniale.

Le rôle des célébrités

De nombreuses entreprises ont eu recours et recourent encore à des célébrités pour promouvoir leurs produits. Qu'elles appartiennent au domaine du sport, du spectacle ou des médias, les personnes connues peuvent projeter toutes sortes d'images : détente, divertissement, luxe, santé, etc. Évidemment, les célébrités choisies doivent plaire au public cible. Elles doivent aussi être crédibles et avoir bonne presse. Associer une vedette sportive à des croustilles ou à une boisson gazeuse peut être rentable pour une entreprise. Toutefois, l'athlète en question aurait avantage à être associé à un produit santé.

La publicité rejoint les gens à l'intérieur de leur maison, par l'entremise de la télévision, d'Internet ou des journaux, comme à l'extérieur. En effet, elle est présente dans l'autobus, sur la route, au centre sportif, etc. Le fait d'associer des célébrités aux divers produits et services a constitué un grand pas en matière de marketing. Pourtant, certaines entreprises ont décidé de pousser encore plus loin les limites.

Un visage sur l'emballage...

Certains publicitaires pensent que le visage d'une célébrité sur un emballage est un moyen efficace de promouvoir un produit. Évidemment, peu importe la technique de promotion employée, le risque est grand, car la notoriété et la popularité sont parfois éphémères. Il suffit d'un incident pour que tout s'effondre. Ainsi, les entreprises doivent judicieusement choisir leurs porte-parole.

Pour ce qui est des aliments, les consommateurs avertis ne se laissent pas influencer par l'esthétique du contenant ni par le visage d'une célébrité sur l'emballage. Plutôt, ils s'attardent à lire l'étiquette nutritionnelle qui fournit des renseignements utiles. Cependant, il faut avouer que même si une étiquette peut nous guider pour choisir un aliment plus sain, la photo d'une athlète respectée et en pleine forme capte aussi notre attention.

La **taille des portions**. Le tableau indique les ingrédients *par portion*. En consommant plus que la taille d'une portion, tu consommes plus de chaque ingrédient.

La quantité totale de **lipides**, en plus des quantités de lipides saturés et de gras trans. Nous avons tous besoin de lipides dans notre alimentation, mais il faut éviter autant que possible les lipides saturés et les gras trans.

La **quantité** (habituellement en grammes) et le pourcentage de l'**apport quotidien** des divers éléments nutritifs. Lis le pourcentage de l'apport quotidien afin de vérifier si l'aliment contient beaucoup ou peu d'un élément nutritif. Si le pourcentage de l'apport quotidien est supérieur à 20 % d'un élément nutritif, une portion contient beaucoup de cet élément.

Le **sodium** se trouve dans le sel. Mieux vaut choisir des aliments contenant moins de sel. Alors, choisis ceux dont le pourcentage d'apport quotidien est faible (10 % ou moins).

Nutritions facts / Valeur nutritive

Per 1 slice (38 g)
Pour 1 tranche (38 g)

Amount / Teneur	% Daily Values / % de l'apport quotidien
Calorie / Calories 90	
Fat / Lipides 1 g	2 %
Saturated / Saturés 0 g	
Trans / Trans 0 g	
Polyunsaturated / Polyinsaturés 0,4 g	0 %
Omega-6 / Oméga-6 0,3 g	
ed / Mono-insaturés 0,3 g	
Cholesterol / Cholestérol 0 mg	
Sodium / Sodium 160 mg	7 %
Potassium / Potassium 60 mg	2 %
Carbohydrate / Glucides 14 g	5 %
Fibre / Fibres 3 g	12 %
Soluble Fibre / Fibres solubles 1 g	
Insoluble Fibre / Fibres insolubles 2 g	
Sugars / Sucres 1 g	
Protein / Protéines 5 g	
Vitamin A / Vitamine A	
Vitamin C / Vitamine C	0 %
Calcium / Calcium	0 %
Iron / Fer	2 %
Thiamine / Thiamine	6 %
Riboflavin / Riboflavine	6 %
Niacin / Niacine	2 %
Folate / Folate	6 %
Phosphorus / Phosphore	4 %
Magnesium / Magnésium	6 %
Zinc / Zinc	10 %
	8 %

Source : FONDATION DES MALADIES DU CŒUR DU CANADA, «Nouvelles étiquettes nutritionnelles», Magazine jeunesse *Pulsation 4*, 2008, p. 10.

Le hockeyeur Benoît Pouliot.

Les spécialistes du marketing recourent moins qu'avant aux célébrités pour promouvoir leurs produits. Pourquoi ? Parce que le public se demande si ces personnes utilisent vraiment les produits dont elles font la promotion. De plus en plus, les entreprises usent de subtilité. Inutile qu'une vedette s'affiche comme adepte d'un produit. Il suffit qu'elle porte un vêtement, boive une eau ou mange un yogourt d'une marque plutôt que d'une autre au cours de ses apparitions publiques ou d'entrevues médiatisées, et le tour est joué. Évidemment, le public ne verra sans doute jamais une célébrité en train de se laver les cheveux ou d'utiliser une mousse coiffante, mais ce type de publicité aura toujours sa place.

Comme tu peux le constater, l'attitude des consommateurs et consommatrices et les techniques médiatiques ont évolué avec le temps. Toutefois, il faut l'avouer, voir Benoît Pouliot chausser des patins d'une marque particulière peut inciter des milliers de jeunes à l'imiter.

Enfin, il ne me reste qu'un conseil à te livrer. Efforce-toi d'être un consommateur averti ou une consommatrice avertie, et consulte les étiquettes avant d'acheter ! Une vedette ne remplacera jamais l'information contenue sur une étiquette ou un emballage.

Réagis au texte.

1. Quels faits intéressants as-tu appris au sujet du rôle que jouent les célébrités dans la promotion d'un produit ? Discute de ta réponse avec un ou une camarade.

2. En équipe, analysez l'étiquette illustrée à la page précédente. Préparez un message donnant l'information trouvée sur une étiquette d'un produit de votre choix. Présentez votre message à la classe.

Enrichis ton vocabulaire.

3. Avec un ou une camarade, choisis un produit santé que tu aimerais promouvoir. Dressez une liste de mots accrocheurs qu'on trouve dans les publicités et qui pourraient servir à promouvoir ce produit. Utilisez ces mots pour préparer une courte annonce publicitaire.

COMPARER DES TEXTES

- Observe le texte. Compare ce texte avec un autre texte de ce module. En quoi est-il semblable ? En quoi est-il différent ?

- Analyse le texte. Quels arguments l'auteure de ce texte utilise-t-elle pour t'inciter à partager son opinion ? Certaines personnes pourraient-elles être en désaccord avec ce qu'elle dit ? Quels arguments pourraient-elles employer pour justifier leur point de vue ? Discutes-en avec un ou une camarade.

Détresse en haute mer

par Cathy Genson

Prépare-toi !

- Fais des prédictions. Selon toi, quel sera le sujet du texte? Lis l'introduction pour vérifier si ta prédiction est juste et pour connaître le début de l'histoire.

- Utilise tes connaissances. Quels signaux de détresse connais-tu? Pourquoi est-ce important de connaître certains signaux de détresse avant de s'aventurer en haute mer?

«Prévision pour les zones Manche Est, Manche Ouest, Ouest Bretagne: avis de coup de vent, mer agitée devenant forte, vent de secteur nord-ouest tournant nord, force 6 à 7, avis de tempête sur zone…»

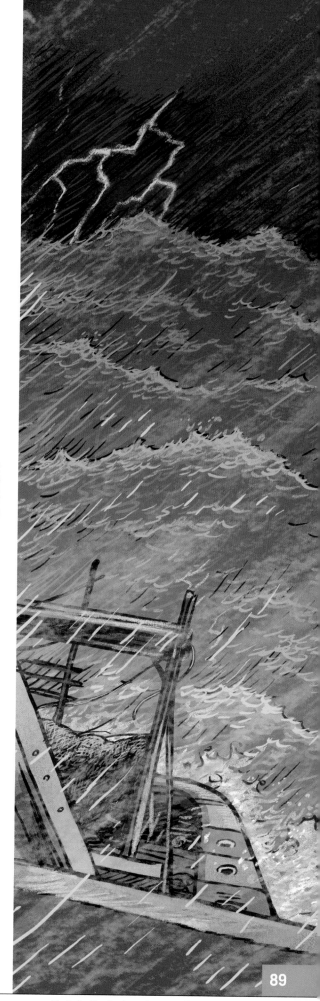

La météo marine diffuse ces avis depuis deux heures, et le temps se dégrade très vite. Je monte le son du récepteur et tente de capter un message de la *MaLouise*, sans succès. La *MaLouise*, c'est le chalutier de mon père. Il est sorti ce matin, profitant de la marée haute pour prendre la mer, avec mon frère Mathieu, comme d'habitude.

Je m'apprête à éteindre le récepteur lorsque j'entends :

«*MAYDAY, MAYDAY…* MaLouise *en détresse… Je répète :* MaLouise *en détresse…* »

La communication est aussitôt coupée. Mon sang ne fait qu'un tour. Mon frère et mon père sont en danger ; je n'ai pas une seconde à perdre !

Je descends les marches quatre à quatre, mets mon ciré, mes bottes, et pars en claquant la porte. Mon cœur bat à tout rompre.

> Notre héros sonne l'alarme au quai des pêcheurs.
> Il arrive à la rescousse de son père et de son frère
> sur la vedette de la Société nationale de sauvetage en mer,
> accompagné de bénévoles.

Je ne sais pas exactement ce qui s'est passé avant mon arrivée, mais je peux l'imaginer : la tempête se lève, le vent forcit, les vagues deviennent plus fortes, plus hautes.

Je ne peux pas laisser mon père exposé aux vagues. Son corps est ballotté d'un côté, de l'autre. S'il a quelque chose de cassé, il faut absolument l'immobiliser. Je lui parle tout près du visage pour qu'il puisse m'entendre. Le bruit du vent et des vagues est infernal ! Finalement, il réagit légèrement au son de ma voix et ouvre les yeux.

— C'est… toi, fiston ?

— Oui, papa… Ne t'inquiète pas. La vedette de sauvetage est arrivée.

— Les gilets… Mathieu…

— Oui, tu as raison, vous devez mettre vos gilets de sauvetage. Je vais les chercher.

Je tente de me relever, mais le bateau bouge tellement que j'y renonce. Je remonte le pont à quatre pattes jusqu'à la cabine. Une secousse me jette en avant. Nous venons sûrement de heurter des rochers. Je retrouve mon frère : il tremble des pieds à la tête et ne cesse de répéter :

— On va couler, on va couler…

— Mets ton gilet de sauvetage, cela vaudra mieux ! Et arrête de paniquer, tu n'es plus seul maintenant !

Il fait de plus en plus froid et nous sommes trempés. Mathieu ne parvient pas à saisir le gilet que je lui tends.

Quelques instants plus tard, une amarre est de nouveau lancée, et deux hommes peuvent monter à bord, profitant d'une courte accalmie.

— Tu vois… les sauveteurs sont ici. On va rentrer avec leur vedette, ne t'inquiète pas pour papa, il est en de bonnes mains.

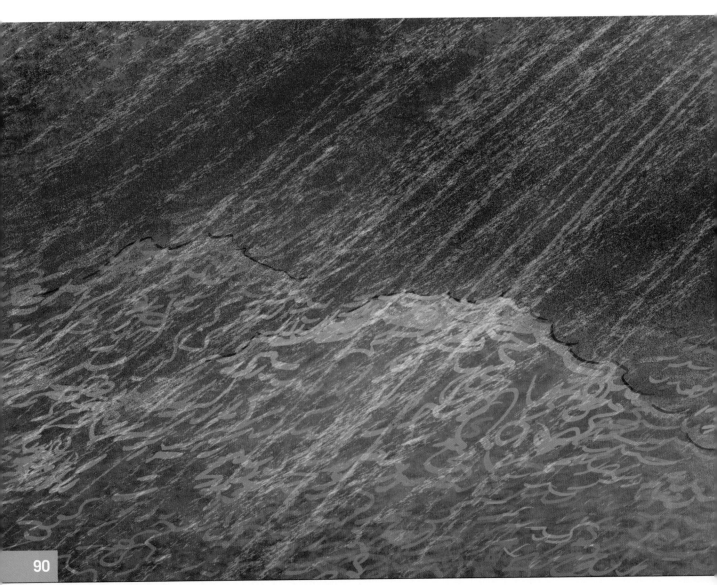

Littératie en action

J'ai parlé trop vite. Une énorme vague passe par-dessus la cabine, s'écrase sur l'arrière, tandis que le bateau se redresse. Il me faut plusieurs secondes pour comprendre que nous sommes en train de couler, coincés par les rochers d'un côté, et entraînés par le poids des filets. Je pousse mon frère hors de la cabine. Pas question qu'il reste là-dedans un instant de plus !

Une seconde vague couche le bateau et nous balaie ; cette fois-ci, nous nous retrouvons tous à l'eau.

Le choc est si brutal que j'ai l'impression que je n'arriverai jamais à reprendre ma respiration. La mer est glacée… Lorsque je respire enfin, j'aperçois mon père à mes côtés. Il parvient à s'agripper à moi. Aucun des sauveteurs n'a eu le temps de lui mettre un gilet. Tout s'est déroulé si vite !

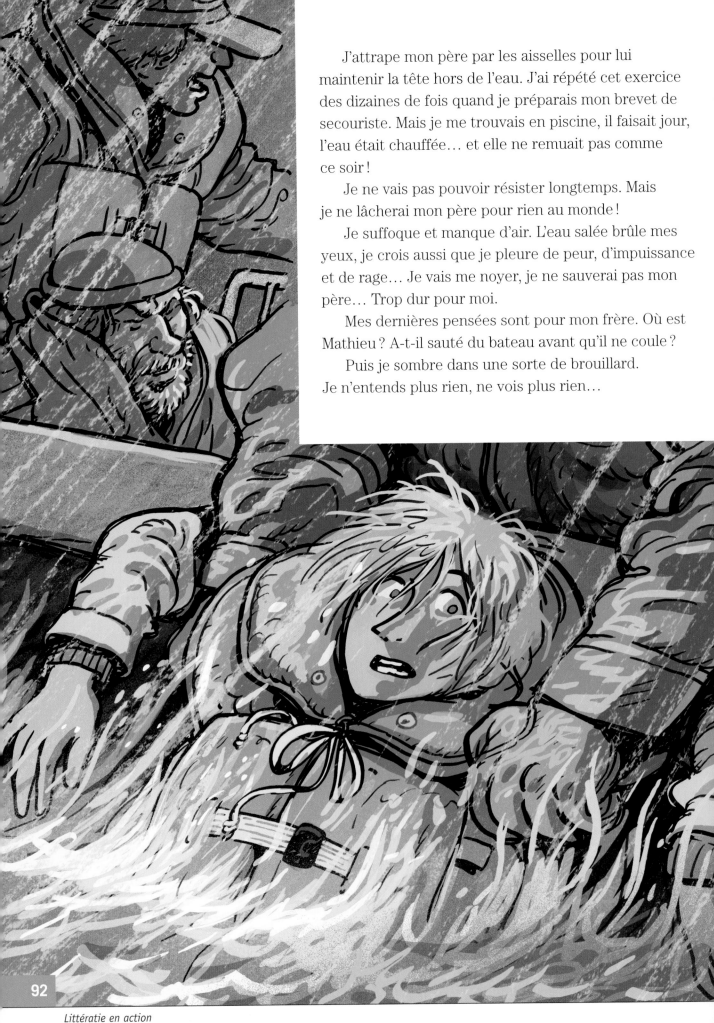

J'attrape mon père par les aisselles pour lui maintenir la tête hors de l'eau. J'ai répété cet exercice des dizaines de fois quand je préparais mon brevet de secouriste. Mais je me trouvais en piscine, il faisait jour, l'eau était chauffée… et elle ne remuait pas comme ce soir !

Je ne vais pas pouvoir résister longtemps. Mais je ne lâcherai mon père pour rien au monde !

Je suffoque et manque d'air. L'eau salée brûle mes yeux, je crois aussi que je pleure de peur, d'impuissance et de rage… Je vais me noyer, je ne sauverai pas mon père… Trop dur pour moi.

Mes dernières pensées sont pour mon frère. Où est Mathieu ? A-t-il sauté du bateau avant qu'il ne coule ?

Puis je sombre dans une sorte de brouillard. Je n'entends plus rien, ne vois plus rien…

Littératie en action

Une voix me parvient, très lointaine:

— Ça va aller, tu peux lâcher, c'est bon!

Des mains puissantes me saisissent et attrapent mon père, que je tiens toujours contre moi. Nous sommes hissés l'un après l'autre et remontés sur le pont de la vedette.

Je m'affole soudain:

— Mathieu, où est Mathieu?

— Ne t'inquiète pas. On lui a lancé une bouée et on vient de le récupérer. Tout le monde est là, sain et sauf. Ne t'inquiète pas.

Je claque des dents. Des mains m'enlèvent mon gilet de sauvetage et me recouvrent d'une couverture de survie afin que je me réchauffe plus rapidement. J'ai l'impression de m'être vidé de mes forces.

Source: Cathy GENSON, *Avis de tempête, 6 histoires de sauvetage,*
Paris, © Fleurus Éditions, 2000, p. 7-9, 20-23, 25.

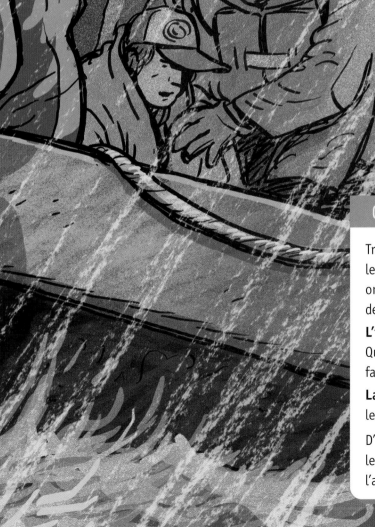

Réagis au texte.

1. Avec un ou une camarade, résume l'histoire dans un court paragraphe. Échangez votre résumé avec celui d'une autre équipe. Y a-t-il des personnages qui vous font penser à des personnes connues? Des situations qui vous rappellent des expériences personnelles?

2. En équipe, cherchez des idées pour transformer la fin de cette histoire. Rappelez-vous les événements importants et imaginez d'autres fins possibles. Choisissez une fin qui sera logique et vraisemblable. Écrivez et présentez cette nouvelle fin à une autre équipe.

Enrichis ton vocabulaire.

3. Dans le texte, l'auteure utilise des expressions en lien avec le corps. Par exemple: «Mon sang ne fait qu'un tour»; «Mon cœur bat à tout rompe»; «Je claque des dents». Avec un ou une camarade, trouve des expressions liées à la vue et à l'ouïe. Expliquez le sens de ces expressions à une autre équipe.

COMPARER DES TEXTES

Travaille avec un ou une camarade. Comparez le texte présenté avec un autre texte dans lequel on exprime une opinion. Utilisez les points de comparaison suivants.

L'intention de la personne qui a écrit le texte: Quel message veut-elle transmettre? De quelle façon veut-elle influencer vos choix?

La présentation du texte: De quelle façon les éléments visuels vous influencent-ils?

D'après vous, lequel des deux textes présente le mieux le point de vue de l'auteur ou de l'auteure? Justifiez votre choix.

Créer un reportage multimédia

Il existe plusieurs genres de reportages et ils sont présentés sous diverses formes. Le reportage multimédia combine différentes technologies pour présenter de l'information. Il intègre texte, vidéo et son. C'est une façon de mettre les nouvelles technologies au service de la diffusion de l'information.

Avec un ou une camarade, crée un reportage multimédia présentant une personne qui a connu la célébrité ou qui a eu une influence considérable sur le destin de l'humanité.

Christiaan Neethling Barnard

UN CHIRURGIEN EXCEPTIONNEL

par Elisapie Isaac

Le 3 décembre 1967, Christiaan Neethling Barnard, un chirurgien d'Afrique du Sud, a réalisé une chirurgie qui allait changer la vie de nombreuses personnes. Ce jour-là, il a transplanté dans la poitrine de Louis Washkansky le cœur d'une jeune femme de 25 ans décédée lors d'un accident de la route. Grâce au travail remarquable du chirurgien, monsieur Washkansky, un grossiste en alimentation âgé de 56 ans, a eu droit à une seconde chance. Le docteur Barnard venait de réaliser une première mondiale. Une équipe d'une trentaine de personnes l'avait assisté pendant l'opération qui avait duré plus de cinq heures. Malheureusement, 18 jours après la transplantation, le patient est mort d'une pneumonie. Cependant, le cœur greffé fonctionnait toujours parfaitement. Aujourd'hui, plusieurs autres organes, comme le rein et le foie, peuvent être transplantés. Grâce à des techniques de plus en plus spécialisées, la médecine permet des chirurgies d'une incroyable complexité.

À mon avis, Christiaan Neethling Barnard est un héros. Grâce à cette première chirurgie de décembre 1967, ma sœur Alasie est toujours vivante aujourd'hui. En effet, le 24 janvier 2010, ma sœur a subi une transplantation cardiaque à l'âge de 42 ans. Sans cette intervention, elle serait sûrement décédée. Et vous, connaissez-vous quelqu'un qui doit sa vie à mon héros, le docteur Christiaan Neethling Barnard ?

Avant de commencer, réfléchis à ce que tu as lu et à ce dont tu as discuté dans ce module.

Sujet	Mon héros
Intention	Informer et convaincre
Public cible	Les autres élèves de la classe
Forme du texte	Reportage multimédia

PLANIFIEZ VOTRE REPORTAGE MULTIMÉDIA.

- Déterminez qui sera présenté dans votre reportage.

- Pensez à des renseignements et à des arguments qui pourraient être utilisés pour convaincre vos camarades des mérites de la personne choisie.

- Trouvez des façons de rendre votre reportage intéressant et informatif pour votre public cible.

- Choisissez des images, des polices de caractères, des couleurs, un titre et une mise en pages en fonction des sentiments que vous voulez susciter.

EN PLUS...

- Utilisez un logiciel de présentation.
- Intégrez des clips audio ou vidéo à votre reportage.
- Préparez une devinette que vous proposerez au début de votre reportage.
- Présentez une fiche descriptive de la personne choisie.
- Suggérez des liens Internet.

PRÉSENTEZ VOTRE REPORTAGE MULTIMÉDIA.

- Présentez votre reportage devant vos camarades de classe.

- Présentez les renseignements de façon attrayante et convaincante.

- Respectez le temps alloué.

- Invitez les gens du public à faire part de leurs commentaires (ce qu'ils ont retenu, ce qu'ils ont particulièrement aimé, ce qu'ils ont trouvé étonnant, etc.).

POINTS À SURVEILLER

- Une présentation claire et intéressante
- Des idées importantes qui ressortent
- Des éléments visuels accrocheurs
- Des renseignements étonnants et exacts

RÉFLÉCHIS.

- Quels aspects de ton reportage multimédia préfères-tu ?

- En quoi ton reportage multimédia est-il le reflet de ce que tu as appris dans ce module ?

Ton portfolio

- Choisis deux ou trois productions que tu as faites au cours du module et qui montrent bien ce que tu as appris.

- Présente-les à ton enseignant ou à ton enseignante, à ta famille et à tes camarades.

De la fiction à la réalité

En quoi la fiction peut-elle devenir réalité ?

Objectifs d'apprentissage

Dans ce module, tu vas faire les tâches suivantes :

- écouter et lire des récits de science-fiction, et en discuter ;

- utiliser des stratégies pour lire des récits de science-fiction, un récit humoristique, une chronique journalistique, un poème, un courriel, une bibliographie et une légende ;

- rédiger un récit de science-fiction mettant en vedette des personnages de ton choix;

- analyser la façon dont les médias recourent au scénarimage pour mettre en scène une partie d'un récit.

À la fin de ce module, tu utiliseras tes connaissances pour créer un scénario pour une nouvelle collection de romans de science-fiction.

97

le soleil se lève
mon ombre voudrait plutôt
rester au lit

Source: André DUHAIME, *Automne! Automne!*,
Saint-Boniface, Éditions des Plaines, 2002.

trottoir verglacé
aller à pas incertains
dans d'autres pas

Source: André DUHAIME, *Bouquets d'hiver*,
Saint-Boniface, Éditions des Plaines, 2002.

Prépare-toi !

■ Fais des liens. Quels liens fais-tu entre les photos que tu vois ici et le monde de la fiction ?

■ Fais des prédictions. Observe les photos. À ton avis, quels seront les sujets abordés dans ce module ? Quels indices te permettent de le croire ?

FUTUR

quel est cet oiseau
qui gazouille au soleil
et me réveille si tôt

Source: André DUHAIME, *Châteaux d'été*, Saint-Boniface,
Éditions des Plaines, 2003 (Éditions Asticou, 1990).

Parlons-en!

1. Discute avec un ou une camarade. Choisis l'un des trois haïkus. Quels liens peux-tu faire entre son contenu et la science-fiction ? Imagine ce que pourrait dire un ou une visionnaire de l'an 2050 dans un haïku.

2. Forme une équipe avec des camarades. Imaginez que vous assistez à une conférence sur la science-fiction. Discutez de l'influence que les récits ou les films de science-fiction du passé ont eue sur les communications et les transports d'aujourd'hui. Préparez un résumé de votre discussion en vue de l'échanger avec celui d'une autre équipe.

Quand tu parles...

Détermine ton intention avant de parler.

Attends ton tour pour parler et n'interromps pas les autres.

Adapte ton intonation à la situation.

Utilise un vocabulaire précis.

Donne des exemples concrets pour appuyer tes propos.

Quand les autres parlent...

Écoute attentivement.

Pose des questions, au besoin, pour obtenir des précisions.

Visualise ce que la personne dit.

Note les idées sur lesquelles tu aimerais revenir.

Lire des récits de science-fiction

La science-fiction est considérée comme la *littérature des idées*. Elle nous aide parfois à imaginer à quoi ressemblera le monde de demain. Plusieurs concepts et technologies présentés dans les œuvres de science-fiction sont devenus réalité. Analyse l'extrait suivant.

LE COURANT DE CONSCIENCE

par Robert J. Sawyer

Raji, qui s'était approché de l'extrémité du module atterrisseur, restait figé comme une statue. Les dommages étaient encore plus graves qu'il ne l'avait pensé. Le vaisseau avait mal. Le nez était effondré et froissé. La carlingue présentait une déchirure en dents de scie, comme si un requin l'avait serrée entre ses mâchoires. S'il y avait eu à l'intérieur une forme de vie incapable de respirer l'air terrestre, elle était sans doute déjà morte. Et, évidemment, si le véhicule spatial transportait des germes dangereux pour la vie sur Terre, ce vaisseau de germes s'était envolé. Raji retenait son souffle, et…

— Professeur !

C'était la voix de Tina. Raji s'est empressé de rejoindre sa coéquipière. La jeune fille montrait du doigt un renfoncement rectangulaire d'environ deux centimètres de profondeur dans la carlingue. Il y avait une poignée circulaire au centre.

Une porte.

— Devrait-on l'ouvrir ? a alors demandé Tina.

Faire des liens

- À quoi la situation te fait-elle penser ?
- À qui les personnages te font-ils penser ?
- Où l'histoire se déroule-t-elle ? Comment imagines-tu le décor ?

Faire des prédictions et les vérifier

- Quelles prédictions peux-tu faire à partir du titre ?
- Quels indices te permettent de prédire la suite de l'histoire ?
- À ton avis, que va-t-il se passer ?
- Tes prédictions étaient-elles justes ?

Trouver le sens d'un mot nouveau

- À quels autres mots ce mot te fait-il penser ?
- Le mot contient-il un préfixe ou un suffixe que tu connais ?
- Dans quel contexte le mot est-il utilisé ?

Interpréter des figures de style

Les figures de style rendent les textes plus captivants; elles créent un effet particulier et aident les lecteurs et lectrices à visualiser l'histoire. En voici quelques-unes.

Figure de style	Description	Exemples
La comparaison	Elle exprime une ressemblance entre deux réalités à l'aide d'un outil de comparaison: *comme, tel, pareil à, semblable à, avoir l'air de,* etc.	«Raji restait figé comme une statue.»
La métaphore	Elle exprime aussi une ressemblance entre deux réalités, mais sans outil de comparaison.	*Raji est une statue.*
La métonymie	Elle désigne une réalité par le nom d'une autre réalité qui a un lien logique avec la première.	*Lire un Tintin* pour *lire une bande dessinée des aventures de Tintin. Saluer la salle* pour *saluer le public présent dans la salle.*
La personnification	Elle sert à donner des caractéristiques humaines à un objet, à une idée ou à un animal.	«Le vaisseau avait mal.»

Résumer l'information à l'aide d'un organisateur graphique

Un organisateur graphique peut être utile pour résumer les idées importantes d'un récit.

Situation de départ (Quel est le contexte: les personnages, leurs caractéristiques, où, quand?)	Élément déclencheur (Quel événement vient changer la situation de départ?)	Péripéties (Quels sont les principaux événements qui surviennent à la suite de ce changement?)	Dénouement (Que se produit-il après ces événements?)	Situation finale (Comment l'histoire se termine-t-elle?)
Ex.: Raji s'approche du module atterrisseur.	Ex.: Raji se rend compte des dommages causés au vaisseau.	Ex.: La carlingue présente une déchirure en dents de scie.	Ex.: Tina et Raji voient une porte et se demandent s'ils doivent l'ouvrir.	—

RÉFLÉCHIS...

Quand tu liras d'autres récits de science-fiction, quelles stratégies te seront utiles? En quoi ces stratégies sont-elles semblables à celles que tu utilises pour lire d'autres genres de textes?

LA PLANÈTE INVISIBLE

par Francis Asselin-Trudel

Avec sa forme fuselée, ses rayures jaune et noir et sa trajectoire erratique, le vaisseau de patrouille de la police galactique, division des Affaires très très très spéciales (ATTTS), ressemble à une abeille en pleine danse.

— Avance, recule, ralentis, tourne en rond… Nous sommes au beau milieu de l'immensité intersidérale, affirme Elliott en laissant échapper un soupir profond. Pourquoi n'admets-tu pas simplement que nous sommes perdus ?

STRATÉGIES DE LECTURE

- Fais des liens.
- Fais des prédictions et vérifie-les.
- Trouve le sens d'un mot nouveau.
- Interprète des figures de style.
- Résume l'information.

— Nous ne sommes pas perdus, reprend Thalie d'un ton calme, habituée aux railleries de son copilote.

Thalie consulte attentivement la carte holographique projetée par l'ordinateur de bord, ignorant le grommellement incessant d'Elliott à ses côtés.

— Voici l'endroit où le capteur d'anomalies signale une forte source d'activités, indique Thalie en plissant des yeux. Et pourtant, je n'y distingue absolument rien : ni satellite, ni planète, ni étoile. Étrange…

Sur ces paroles, comme si le destin se chargeait de montrer à Thalie ce que signifie vraiment le mot *étrange*, le ronron des turbines rotatives s'interrompt. Aussitôt, au grand désarroi des deux agents, les parois de leur vaisseau spatial commencent à disparaître !

Au même moment, une voix rauque, presque éteinte, résonne dans le transmetteur.

— Sur la carte galactique… nous devons avoir un nom pour être sur la carte galactique… sinon…

— Quoi ? Mais qu'est-ce que cette voix venue du néant veut de nous ? s'exclame Elliott.

Mais déjà, Thalie a compris et accède à la configuration de l'hologramme topographique.

— Elliott, ne pose pas de questions et invente un nom de planète, fait Thalie, les doigts prêts à enfoncer le clavier. Vite ! Le temps presse !

— Euh… Bananarama ? balbutie Elliott, surpris par la requête.

Thalie roule des yeux en soupirant, puis après une nanoseconde de réflexion, elle tape *Néantitia*. Le mystérieux point inexistant a maintenant un nom.

Aussitôt, une magnifique petite planète vert-mauve se matérialise sous les yeux des agents galactiques et leur vaisseau spatial reprend sa forme.

La voix se fait de nouveau entendre, mais cette fois, elle paraît plus ferme : « Merci infiniment. Je suis la reine de ce caillou que vous venez de nommer aussi joliment. Notre planète avait été effacée des cartes galactiques parce qu'elle était supposément trop petite et trop lointaine pour y figurer. Peu à peu, elle s'est mise à disparaître. Votre vaisseau aurait sans doute subi le même sort. Heureusement, vous avez compris notre message.

Au nom de tous les *Néantitiens*, je vous remercie, amis de l'espace, de nous avoir replacés sur la carte galactique. Et vous, mademoiselle, je vous remercie d'avoir ignoré le nom proposé par votre ami… Bonne route !»

Les deux voyageurs de l'espace se regardent un instant.

— Bananarama ? Un peu insensé comme nom de planète, non ? dit Thalie avant de s'esclaffer devant son coéquipier vexé.

LE BOGUE DE L'AN 20 000

par Francis Asselin-Trudel

Elliott traîne ses pieds dans la fine poussière grise qui recouvre les rues désertes de Kronoblœm, la capitale de la planète Horoklüm. Il regarde sa coéquipière, Thalie, qui marche quelques pas devant lui.

— Dire qu'on va manquer la partie entre les Cavaliers farouches d'Orion et les Serpents fantastiques de Calamara, marmonne-t-il suffisamment fort pour que Thalie l'entende.

— Dire que de tous les agents de police intergalactiques, c'est avec le plus bougon que je dois faire équipe, enchaîne sa partenaire d'un ton détaché, sans même se retourner. Tiens, je crois qu'on vient à notre rencontre.

En effet, un vieil Horoklümien vêtu d'une toge violette s'approche d'eux en courant et en gesticulant.

STRATÉGIES DE LECTURE

- Fais des liens.
- Fais des prédictions et vérifie-les.
- Trouve le sens d'un mot nouveau.
- Interprète des figures de style.
- Résume l'information.

— Êtes-vous de la division des Affaires très très très spéciales (ATTTS) ? leur demande-t-il à bout de souffle, l'air affolé.

Les deux agents acquiescent aussitôt et lui tendent leur insigne jaune et noir.

— Calmez-vous, monsieur, dit Thalie, nous sommes bien de l'ATTTS. Prenez le temps de nous raconter ce qui se passe.

— Mais justement, mademoiselle, il se passe que le temps s'est arrêté ! Je suis le maire de Kronobloem. Hier, nous fêtions le Nouvel An horoklümien, emballés à l'idée d'atteindre l'année 20 000. Mais voilà, quelque chose a mal fonctionné lors du changement de millénaire. Et depuis, le temps s'est figé.

Après avoir guidé les deux agents dans des ruelles tortueuses, le maire les invite enfin à pénétrer dans une petite structure circulaire. Au centre, un îlot bourré de boutons fait figure de console. Un objet posé sur une table attire aussitôt l'attention d'Elliott.

— Chouette ! un visualiseur hyper haute définition ! Je vais pouvoir regarder la partie !

— Jeune homme, demande alors le maire, n'avez-vous donc pas compris ? Le temps s'est arrêté et cette partie n'aura jamais lieu puisqu'elle est dans le futur !

L'espace d'un instant, Elliott semble sur le point de pleurer comme un enfant. Puis, il se ressaisit, bien décidé à régler cette fâcheuse situation.

— Moi, quand ma montre atomique est détraquée, j'enclenche la remise à zéro et bien souvent tout rentre dans l'ordre ! suggère-t-il.

Le maire s'apprête à inviter Elliott au silence, quand Thalie intervient.

— Il n'a peut-être pas tort, vous savez. Et si vous remettiez le compteur des années à zéro ?

— Mais, mademoiselle, y pensez-vous ? rétorque le maire, indigné. Nous avons atteint 20 000 années et vous voudriez que l'on revienne à l'an 1 ?

— Ce n'est qu'un chiffre, enfin, reprend Elliott, rassurant. On ne vous demande pas de revenir à l'âge de pierre ou des voitures à roues… juste à l'an 1 !

Résigné, le maire se dirige vers la console et appuie d'un doigt tremblant sur un bouton rouge. Sur la console, une sorte d'odomètre indique ZÉRO. Dehors, la vie reprend aussitôt son cours. Heureux, le maire serre la main de Thalie pour la remercier. Il cherche Elliott du regard, quand Thalie pointe du menton derrière lui.

— Nonnnnnnn… J'avais parié 1000 gumbos sur les Serpents ! fait Elliott presque en sanglots devant le visualiseur qui diffuse les dernières minutes de la partie.

Thalie et le maire pouffent de rire, sachant que le jeune policier intergalactique surmontera sa déception en un rien de temps !

PAS DE VACANCES POUR LES JUSTICIERS

par Francis Asselin-Trudel

L'écran à panorama infini, qui trône au cœur de Clapota, est une attraction fascinante. Ses panneaux à cristaux gazeux se prolongent bien au-delà de ce que l'œil humain ou zorglien peut percevoir, et personne n'a réussi jusqu'à présent à en évaluer les limites. Des milliers de capsules à déchets flottent dans l'horizon rougeâtre zébré.

STRATÉGIES DE LECTURE

- Fais des liens.
- Fais des prédictions et vérifie-les.
- Trouve le sens d'un mot nouveau.
- Interprète des figures de style.
- Résume l'information.

Au milieu d'une bruyante foule de touristes babblerriens, Elliott et Thalie se démarquent par leur grande taille et leur peau cuivrée.

— Nous avons bien fait de profiter de nos vacances pour venir voir cette merveille technologique, n'est-ce pas ? lance Thalie à son coéquipier, après avoir été bousculée par un Zorglien à trois têtes particulièrement laid.

Elliott ne répond rien, captivé par les proportions inouïes de l'écran.

Soudain, sur un écran parallèle, la publicité d'aéronefs de luxe fait place au visage d'un Zorglien à trois têtes particulièrement laid. «Dangereux fugitif intergalactique», peut-on y lire. Thalie donne un subtil coup de coude à Elliott, en lui désignant l'individu qui vient tout juste de la bousculer.

— C'est lui, le fugitif intergalactique, souffle-t-elle, les lèvres serrées.

— Hein ? Qui ? Où ça ? répond Elliott d'une voix forte.

— Mais ne parle pas si fort, voyons, tu vas nous faire…

Un rayon de démantibuleur mauve et brûlant siffle alors à ses oreilles.

— … repérer, ajoute-t-elle, foudroyant Elliott du regard.

Non loin devant, son arme fumante à la main, l'affreux criminel s'enfuit. Sans hésitation, les deux agents se lancent à ses trousses. La foule compacte de touristes rend la chasse difficile. Le redoutable Zorglien tire aveuglément par-dessus son épaule dans l'espoir de ralentir ses poursuivants, mais heureusement, ses décharges stridentes et répétées n'atteignent personne.

Après une longue et pénible poursuite, Thalie et Elliott débouchent dans une ruelle jonchée de carcasses de droïdes. Le passage est sans issue, scellé par un mur imposant. Aucune trace du Zorglien pourtant. Comme s'il avait disparu…

— Zut ! nous l'avons perdu…, lâche Thalie, abattue.

— Oh oui ! Zut ! nous l'avons perdu, reprend Elliott d'un ton exagérément déçu, tout en décochant un clin d'œil complice à Thalie.

Le doigt devant la bouche, il s'approche d'une capsule à déchets d'où parvient le sifflement à peine audible d'une triple respiration. Nul doute, le criminel en fuite y est caché.

D'un geste vif, Elliott enfonce le bouton qui déclenche la vidange de la capsule. Celle-ci décolle aussitôt, propulsée par de petites fusées, entraînant son occupant indésirable en direction de la planète Dépotarium. Une nouvelle capsule métallique la remplace aussitôt.

— Voilà, c'est fait ! Toi qui me reproches de ne jamais mettre les poubelles à la rue, claironne Elliott, tout sourire.

Thalie soupire de soulagement. Puis, les deux agents rebroussent chemin, espérant pouvoir enfin profiter de leurs derniers jours de vacances qui, jusqu'alors, ont été fort mouvementées.

LE TROU... DE MÉMOIRE

par Francis Asselin-Trudel

Le voyant du pilote automatique clignote à un rythme régulier, signalant ainsi que le vaisseau spatial, en route vers la Terre, file sans encombre dans l'espace. La chambre à rêves est tranquille, silencieuse et baignée d'une lueur émeraude apaisante. Allongés dans leur enveloppe à rêves, Thalie et Elliott, enquêteurs aux Affaires très très très spéciales (ATTTS), dorment à poings fermés.

Leur véhicule spatial survole une planète jaune et désertique quand, soudain, la douce lumière verte tourne à un rouge alarmant. Une sirène stridente tire les agents de leur sommeil artificiel. Elliott atteint le tableau de bord le premier.

— Thalie, nous avons un problème, affirme Elliott, constatant qu'ils avaient perdu de l'altitude.

— Je sais, Elliott, je sais! rétorque Thalie en s'installant aux commandes. Je vais tenter un atterrissage d'urgence.

STRATÉGIES DE LECTURE

- Fais des liens.
- Fais des prédictions et vérifie-les.
- Trouve le sens d'un mot nouveau.
- Interprète des figures de style.
- Résume l'information.

Le vaisseau jaune et noir plonge en chute libre vers la surface sablonneuse d'une planète mystérieuse. Les instruments de bord s'affolent. Au dernier moment, Thalie parvient à redresser l'engin et à le poser tant bien que mal sur la surface planétaire.

— Eh bien, pour un atterrissage d'urgence, c'en était tout un, soupire Elliott, un peu secoué par la manœuvre.

— Oh que oui! reprend Thalie en passant la main dans ses longs cheveux noirs. J'ignore ce qui s'est passé, mais c'est comme si cette planète avait *attiré* notre vaisseau. Ça me rappelle vaguement quelque chose. Et j'ai un mauvais pressentiment.

— Et moi, j'ai une folle envie de voir sur quel caillou nous sommes échoués! réplique Elliott, déjà en train d'ouvrir le sas.

Le paysage qui s'offre à ses yeux est à couper le souffle.

— Thalie, on dirait… la Terre! s'exclame-t-il, les yeux brillants.

Une végétation luxuriante recouvre la surface de la planète. Un petit ruisseau coule paisiblement. Elliott se précipite aussitôt à l'extérieur, heureux comme un enfant dans un parc d'amusement.

Tout à coup, Thalie, qui cherche toujours à préciser son souvenir, sent une bouffée de panique l'envahir. Elle vient de se rappeler…

— Elliott, reviens, VITE! hurle-t-elle.

Soudain, Elliott aperçoit au loin le décor paradisiaque s'effilocher peu à peu. On dirait qu'une main invisible tire le fil d'un tricot. Un énorme trou bordé de dents pointues avale le paysage artificiel et s'approche à vive allure d'Elliott.

En quelques enjambées, le jeune homme atteint le vaisseau et ferme le sas.

Thalie réussit à faire décoller l'appareil. Dans un formidable nuage de poussière, l'engin bondit vers l'espace.

— Mais qu'est-ce que c'était? Pourquoi m'avoir demandé de revenir si vite? demande Elliott, livide.

— Une planète carnivore, répond Thalie, les mains crispées sur les commandes. J'avais entendu parler d'une telle planète, mais je croyais qu'il s'agissait d'une légende cosmique. Une exploratrice m'avait dit que cet astre carnivore attire les véhicules spatiaux qui traversent son champ d'attraction. Ensuite, il entraîne leurs occupants à l'extérieur, où il les dévore.

Elliott contemple en silence ses mains poussiéreuses. Puis, il se lève et s'approche de Thalie.

— Merci, Thalie. Sans toi, cet orifice dentelé m'aurait dévoré.

— De rien, reprend Thalie, alors qu'Elliott se retourne. Mais, où vas-tu? fait sa coéquipière.

— Je retourne dans mon enveloppe à rêves. Pour me remettre de ce cauchemar, j'ai besoin de dormir…

OBJET BRUYANT NON IDENTIFIÉ

par Francis Asselin-Trudel

Les chauds rayons du Soleil enveloppent Montréal et dégoulinent comme du miel le long des hautes structures en verre. Thalie et Elliott marchent dans les rues de la métropole par cette journée radieuse. Sur leur passage, les piétons se retournent, intrigués par l'allure des deux enquêteurs des Affaires très très très spéciales (ATTTS).

Un homme, apeuré, s'approche des deux enquêteurs. Entre ses mains sales, il tripote nerveusement un casque de construction en quartz durci.

— Z'êtes de la police ? lance-t-il, la voix chevrotante.

— On ne peut rien vous cacher ! Je m'appelle Elliott, et voici ma partenaire, Thalie.

L'homme déglutit péniblement, puis parvient à articuler :

— Il faut que vous veniez voir ce que nous avons découvert…

STRATÉGIES DE LECTURE

- Fais des liens.
- Fais des prédictions et vérifie-les.
- Trouve le sens d'un mot nouveau.
- Interprète des figures de style.
- Résume l'information.

Curieux, Thalie et Elliott suivent l'homme jusqu'à un chantier de construction. À mesure qu'ils s'en approchent, ils perçoivent un étrange vrombissement.

— Qu'est-ce qui est à l'origine de ce bruit ? demande Thalie.

— Je ne sais pas, se contente de répondre l'homme. On creusait des fondations, quand un des gars a déterré ce machin. Il a donné un petit coup de pied sur ce bouton, et ça l'a activé. Vous irez voir par vous-même, parce que moi, je ne m'approche pas de ce truc…

Le vrombissement de la machine en métal, qui n'a pas cessé de s'amplifier, atteint alors une intensité impressionnante.

Une poignée de travailleurs forment un cercle autour de la source du bruit infernal. Sans hésiter, Thalie et Elliott franchissent le périmètre.

Au fond de l'excavation, une horrible machine métallique tout en hauteur fait tournoyer ses lames rouillées à une vitesse vertigineuse. Elle pétarade, crache une fumée bleuâtre et semble vouloir bondir vers l'avant, comme une bête féroce.

Thalie extirpe de sa ceinture son Sékouaça, un appareil qui reconnaît tous les objets, espèces ou entités existant ou ayant déjà existé. Elle le pointe vers l'étrange mécanisme.

— Thalie, dis-moi ce que c'est…, chuchote Elliott, comme s'il ne voulait pas contrarier le redoutable objet.

— Le Sékouaça est en train de chercher, lui répond sa partenaire, l'air grave.

— Et si c'est une bombe à lames de titane ? souffle un des hommes en retrait.

— Et si c'est un dispositif à déchirer l'espace temps et à causer des catastrophes temporelles ? ajoute un autre.

— Et si c'est l'arme maléfique de l'affreux Bonhomme Bételgeuse ? murmure Elliott, en reculant d'un pas.

Cette dernière remarque a pour effet de déclencher la panique.

Tous les ouvriers s'enfuient, laissant Thalie et Elliott seuls devant l'engin. Soudain, un petit bip se fait entendre, signalant ainsi que le Sékouaça a reconnu l'objet.

Après avoir pris connaissance du résultat, Thalie éclate de rire.

— Écoute bien, cher froussard ! Selon le Sékouaça, cette affreuse arme maléfique est une *tondeuse à gazon*, instrument utilisé par les Terriens du XXVIe siècle pour couper l'herbe non artificielle.

Au même moment, à court d'essence, l'inoffensif appareil s'éteint dans un toussotement saccadé.

— Eh bien, l'affaire est classée, marmonne Elliott, alors que Thalie est de nouveau prise d'un fou rire. Il n'y a plus rien à voir ici. Circulez, ajoute Elliott, en se tournant vers le chantier désert.

GRAND INVENTEUR DE L'INUTILE !

par François Parenteau

Prépare-toi !

- Fais des liens. Si tu pouvais inventer un objet ou une machine, qu'est-ce que ce serait ? Pourquoi ? En quoi cette invention changerait-elle ta vie et celle des autres ?

- Utilise tes connaissances. À ton avis, quels objets ou machines ont grandement modifié le mode de vie de l'être humain ? Est-ce que toutes les inventions sont utiles ? Explique ta réponse.

Archibald-Dieudonné Patenaude habitait une gentille banlieue qui, sans lui, aurait été bien tranquille. Hélas, pour le plus grand malheur de ses voisins, il exerçait depuis sa retraite le métier d'inventeur. Du moins se prétendait-il inventeur. Même si toutes ses créations avaient été de cuisants échecs, cela n'avait en rien miné son enthousiasme. La cour de sa maison était encombrée d'un incroyable amoncellement d'objets hétéroclites, aussi bizarres qu'inutiles et hors d'usage, objets auxquels monsieur Patenaude s'employait avec ingéniosité à donner une nouvelle vie. Malheureusement, il n'avait jusqu'à maintenant produit que du bruit et provoqué bien des catastrophes.

On l'entendait travailler jusqu'aux petites heures du matin dans son garage, un lieu qui l'inspirait et qu'il ne quittait qu'à regret. Il avait d'ailleurs toute une théorie sur les garages, dans lesquels avaient été conçus selon lui une foule d'objets techniques révolutionnaires : la motoneige, le micro-ordinateur, la guitare électrique, le porte-parapluies, le tube de dentifrice, l'agrafeuse, le moteur à pistons, la clé à molette, la fermeture éclair, la bombe aérosol et bien d'autres merveilles encore.

Sa première invention avait été le «rail à poubelle», ce qui n'était pas en soi une si mauvaise idée. Il avait donc installé un rail, aussi joli que solide, qui allait de la porte d'entrée de sa maison jusqu'au trottoir, un rail sur lequel se déplaçait un élégant chariot porte-poubelle. Son inventeur croyait ainsi pouvoir mettre ses ordures à la rue sans mettre le nez dehors. Malheureusement, comme le rail avait une assez forte pente, le chariot porte-poubelle, avec une force d'accélération constante, se transformait en un formidable propulseur à ordures, ce qui ne faisait pas la joie du voisinage. Notre inventeur a alors pensé à munir le chariot d'un système de câbles ralentisseurs pour en réduire la vitesse, mais il s'est vite désintéressé de son invention pour passer à autre chose. Les idées fourmillaient dans sa tête. Monsieur Patenaude n'était peut-être pas l'inventeur le plus riche, le plus visionnaire ou le plus génial, mais il s'était donné comme objectif d'être le plus prolifique.

Il avait mis au point un chauffe-bottes pour garder les pieds bien au sec pendant la saison froide, mais les premiers essais n'avaient pas été concluants. Non seulement le mécanisme faisait fondre les semelles, mais il entraînait aussi des risques d'électrocution par temps pluvieux. Quant à sa machine à promener les chiens, elle lui avait attiré les foudres de la Société protectrice des animaux, bien injustement d'ailleurs car, en fait, c'était toujours le chien qui finissait par promener la machine.

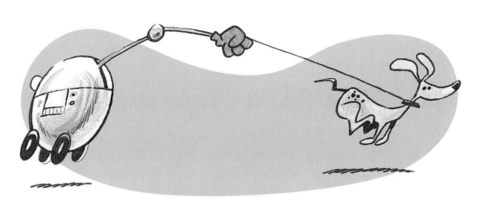

Il pensait avoir trouvé un meilleur filon avec le farce-dinde automatique. Mais cette invention avait encore semé l'émoi dans le quartier, car on avait vu de belles grosses dindes déplumées s'envoler dans toutes les directions. Après s'être donné un affreux mal de mer en expérimentant sa chaise-balançoire, il avait mis au point un système complexe de compensation de mouvement. La balançoire était devenue la plus immobile qui soit, ce qui était une réussite, mais pas dans le sens visé.

Son principal échec commercial, il l'a connu avec son moteur carburant au purin de porc. Le moteur fonctionnait très bien. Le problème, c'est qu'il fallait, pour transformer le purin en carburant, utiliser deux fois plus d'essence que d'ordinaire. Rendement de 100 % inférieur, donc, avec en prime une persistante odeur de purin dans les narines. Pas facile à vendre !

Au bureau des brevets, où il se rendait tous les lundis, Archibald-Dieudonné Patenaude était une figure bien connue, dont on se moquait volontiers. Un jour, il y a rencontré une spécialiste en marketing qui a cru en lui. Cela lui a porté chance. La jeune femme lui a expliqué que si ses inventions n'avaient pas connu le succès commercial qu'elles méritaient, c'était tout simplement parce qu'elles n'avaient pas été suffisamment publicisées. Pour la modique somme de 200 000 dollars, elle lui a proposé de préparer des infopublicités qui présenteraient ses plus ingénieuses créations. Archibald-Dieudonné n'a pas pu résister à la flatterie. Enfin, quelqu'un reconnaissait sa valeur ! Il a hypothéqué sa maison et signé un contrat de publicité avec la rusée femme d'affaires.

Les émissions publicitaires ont été réalisées selon les règles de l'art. Dans un premier temps, on illustrait concrètement le besoin, plus imaginaire que réel, auquel l'invention répondait. On voyait, par exemple, des acteurs ou actrices faire en se lamentant des gestes quotidiens comme tourner les pages d'un livre, refermer la porte d'un réfrigérateur, coller un timbre sur une enveloppe, enfiler une paire de chaussettes, etc. Suivaient aussitôt des images de bonheur où des gens de divers milieux disaient à quel point leur vie avait été transformée par les inventions de Patenaude : le tourne-pages, le frigo à porte autofermante, le timbre-enveloppe, la chaussette grimpante, le ferme-boîte, le tourne-clés, le chauffe-glaçons, l'attrape-rhume, le brasse-ordures, le dévisse-ampoule, le fume-cigare, la calculette aléatoire, etc. Le tout se terminait par une courte entrevue du désormais célèbre inventeur.

Les inventions ont eu, dans l'ensemble, assez peu de succès. Les émissions publicitaires, en revanche, ont obtenu des cotes d'écoute incroyables dans le monde entier et ont rapporté des millions. La ville a transformé le garage de monsieur Patenaude en musée de l'inutile.

Réagis au texte.

1. Selon toi, quelle invention d'Archibald-Dieudonné est la plus intéressante ? Discute de ton choix avec un ou une camarade.

2. L'auteur de ce texte fait preuve d'une imagination débordante, d'un bon sens de l'humour et du souci du détail. En quoi ces qualités sont-elles importantes lors de la rédaction d'un récit ?

Enrichis ton vocabulaire.

3. Plusieurs mots sont créés par dérivation, c'est-à-dire par l'ajout d'un préfixe (ex.: auto-) ou d'un suffixe (ex.: -able), ou des deux, à un mot de base. Le préfixe se place devant le radical d'un mot ; le suffixe, après le radical. Plusieurs mots scientifiques contiennent les préfixes ou suffixes suivants : *aéro-, anthropo-, auto-, bio-, carni-, multi-, omni-, poly-, -able, -cide, -vore, -chrome*. Trouve des mots scientifiques qui contiennent ces préfixes ou ces suffixes, et donne la signification de chaque mot.

Vedette de l'émission *Grandes figures du siècle*, Archibald-Dieudonné Patenaude a avoué humblement qu'il ne réaliserait jamais une grande invention. «Le secret de mon succès, disait-il, c'est d'avoir accumulé les échecs.»

Il avait toujours raté son coup, c'est vrai, mais il avait su le faire avec style. Et cela, ça ne s'invente pas !

Source : © François PARENTEAU, «Réussir à rater son coup !», dans Lyne DESLAURIERS et Nicole GAGNON, *Capsule 6, Manuel A*, Mont-Royal, Groupe Modulo, 1997, p. 109 à 111.

COFFRE À OUTILS
ÉCRITURE

■ Observe le texte. Pour raconter ou rapporter des événements dans un récit, on se sert souvent de l'imparfait. Ce temps est en effet tout indiqué pour décrire les lieux, les personnages, leurs sentiments, l'ambiance ou une action qui dure un certain temps dans le passé. On utilise également l'imparfait pour situer une action ou un fait en train de se produire dans le passé. Relève dans le texte des phrases qui contiennent des verbes conjugués à l'imparfait. Dans quel but l'auteur a-t-il utilisé l'imparfait dans chacune de ces phrases ?

■ Travaille avec un ou une camarade. Choisissez un grand inventeur ou une grande inventrice, et écrivez un récit imaginaire au sujet d'une de ses inventions. Présentez votre récit à une autre équipe.

La fiction est parfois la mère de l'invention...

par Léo-James Lévesque

« La meilleure façon de prédire l'avenir, c'est de l'inventer. »

Alan Kay, informaticien

L'histoire est riche de récits captivants qui racontent les circonstances qui ont mené à une découverte ou à une invention. Une découverte est un phénomène, un être vivant ou une chose qui existait déjà dans la nature, mais qu'une personne a observé ou compris pour la première fois. Cependant, une invention est une nouveauté. Elle n'existait pas auparavant et une personne l'a créée de toutes pièces. Il peut s'agir d'un objet, d'un outil ou d'un matériau. Notre monde est rempli d'œuvres issues de l'imagination débordante d'inventeurs et inventrices ! Une bonne idée, un peu de hasard, beaucoup de persévérance et de travail sont à l'origine de milliers d'inventions.

Prépare-toi !

- Utilise tes connaissances. Connais-tu l'origine de certaines inventions ? Pour quelles inventions voudrais-tu connaître l'origine ?

- Pose des questions. Qu'aimerais-tu apprendre en lisant ce texte ? Quelles questions poserais-tu à un inventeur ou à une inventrice au sujet de son invention ?

117

De la science-fiction à la réalité...

C'est parfois du côté de la science-fiction qu'il faut se tourner pour avoir une idée des inventions du futur. Pense aux auteurs et auteures de livres ou de films de science-fiction qui ont conçu de nouvelles réalités. Véritables visionnaires, ils ont imaginé des appareils sans avoir la contrainte d'assurer leur fonctionnement. Par exemple, Jules Verne, souvent considéré comme le père de la science-fiction, a évoqué au XIXe siècle des objets qui ont été inventés bien après.

Inspiré par ses nombreux voyages, Jules Verne a écrit plus de 80 romans. De plus, il a publié de multiples ouvrages de vulgarisation scientifique. Son influence a été tellement importante qu'on a appelé le premier sous-marin à propulsion nucléaire de l'histoire *Nautilus*, en l'honneur du nom du sous-marin dans *Vingt mille lieues sous les mers*.

Hergé, le créateur du célèbre héros de bande dessinée Tintin, avait pour sa part prévu certaines inventions modernes. S'inspirant des missiles V2 utilisés à la fin de la Seconde Guerre mondiale, le bédéiste a en effet dessiné une fusée lunaire 15 ans avant la création de Saturn V, le lanceur américain qui a propulsé les premiers astronautes vers la Lune.

De la Terre à la Lune, par Jules Verne, en 1865.

Les œuvres littéraires, artistiques ou cinématographiques sont très souvent à l'origine d'idées potentiellement viables. En effet, leurs auteurs ou auteures doivent décrire bien précisément le fonctionnement des objets qu'ils imaginent et fournir un aperçu de leur impact sur la société. Ces œuvres donnent parfois vie au futur. L'agence spatiale américaine, la NASA, a même mis sur pied un programme pour inciter ses ingénieurs et ingénieures à s'inspirer des inventions des auteurs de science-fiction.

Quelques technologies imaginées dans des œuvres de science-fiction	
Année	**Technologie**
1865	les lanceurs de projectiles ultra-rapides
1869	les rétrofusées
1928	les dispositifs d'atterrissage sur les planètes
1929	les bâtiments d'assemblage des fusées en position verticale, les sorties dans l'espace, les combinaisons pressurisées, les câbles de soutien-vie
1945	la construction à partir de matériels apportés par navette de stations spatiales orbitales complètes disposant de quartiers d'habitation et régulièrement desservies
1945	les télécommunications par satellites géostationnaires (GPS)
1954	les modules de transport d'équipage conçus pour la rentrée dans l'atmosphère

Source: AGENCE SPATIALE EUROPÉENNE, *Les nouvelles technologies dans la science-fiction appliquées au domaine spatial*, Noordwijk, Pays-Bas, Division des publications de l'ASE, 2002, p. 3.

La science-fiction, une porte vers le futur

La science-fiction nous prépare au futur et parfois l'invente. En fait, elle demeure une source importante d'inspiration pour les scientifiques, ainsi que pour les inventeurs et inventrices. À l'époque où de nombreuses machines fonctionnaient à la vapeur, les agriculteurs rêvaient de robots qui les aideraient ou les remplaceraient aux champs. Deux cents ans plus tard, les tracteurs et les moissonneuses-batteuses étaient inventés !

Qui aurait imaginé qu'un ordinateur allait être inventé et changerait considérablement notre mode de vie ? En 1946, l'auteur américain de science-fiction Murray Leinster a imaginé que chaque foyer disposerait un jour d'un ordinateur. Certaines personnes rejetaient cette idée. D'autres affirmaient même qu'un ordinateur n'avait pas sa place dans un foyer et que personne ne serait intéressé à acheter une telle machine.

Les agriculteurs du XVIIIe siècle n'auraient jamais cru que des tracteurs et des moissonneuses-batteuses pourraient faciliter leur travail !

La série télévisée *Star Trek*, de 1966 à 1969.

En 1973, l'ingénieur américain Martin Cooper a admis s'être inspiré du *communicateur*, qu'il avait vu dans la série télévisée *Star Trek*, pour inventer son téléphone mobile. Cependant, son invention ressemblait davantage au talkie-walkie, qui datait de la Seconde Guerre mondiale, qu'à un appareil portable ! C'est seulement vers 1995 que les téléphones mobiles ont commencé à ressembler au *communicateur* utilisé par le capitaine James T. Kirk de la célèbre télésérie. Aujourd'hui, les scientifiques tentent de concevoir un téléphone capable de transmettre ce qu'on veut dire avant même qu'on le dise ! Cet appareil capterait les signaux électriques envoyés par le cerveau aux muscles et aux nerfs liés à la fonction de la parole.

Pendant des siècles, les navigateurs et les explorateurs se sont servis des étoiles pour

Un émetteur et un récepteur GPS.

Le film *I, Robot*, en 2004.

Réagis au texte.

1. Avec un ou une camarade, discute de la question suivante : la science-fiction est-elle nécessaire pour assurer les progrès technologiques ?

2. En équipe, dressez une liste de 10 inventions qui, d'après vous, ont grandement contribué à améliorer notre confort. Comparez votre liste avec celle d'une autre équipe. Quels sont les avantages et les inconvénients de ces inventions ?

Enrichis ton vocabulaire.

3. Quelles inventions pourraient faciliter la tâche des travailleurs et travailleuses de la ferme ou de la construction, et rendre leur travail plus sécuritaire ? Dresse une liste de ces inventions. Crée un mot nouveau (un néologisme) pour désigner chacune de ces inventions. En quoi chaque invention consiste-t-elle exactement ? À quoi sert-elle ? Décris chaque invention sous la forme d'une définition.

s'orienter. Aujourd'hui, nous disposons d'appareils de localisation par satellite, appelés communément *GPS*. Les récepteurs GPS captent les signaux radioélectriques émis par trois satellites ou plus, puis ils mesurent la distance franchie par les signaux. Les données ainsi obtenues permettent de déterminer une position exacte. Cette technologie avait été imaginée en 1945 ! À cette époque, il ne s'agissait que de science-fiction.

La science-fiction continue d'exercer une influence remarquable sur les progrès technologiques. L'être humain possède une imagination qui le pousse à faciliter son travail et à changer le monde. Il ne te reste plus qu'à imaginer la réalité de demain.

COFFRE À OUTILS
ÉCRITURE

- Observe le texte. Dans ce texte informatif, l'auteur présente surtout des faits. Il a accompagné son texte d'un tableau. Quels autres éléments visuels peuvent accompagner un texte et présenter des faits complémentaires ?

- Travaille avec un ou une camarade. Les progrès de la technologie ont permis la création d'objets de toutes sortes utilisés au quotidien. Faites une recherche pour connaître l'origine de cinq inventions qui, selon vous, sont devenues indispensables. Rédigez la fiche descriptive de chacune de ces inventions afin de les présenter à une autre équipe.

Écrire un récit de science-fiction

Alexandra a écrit un récit de science-fiction à propos de la vie sur une autre planète. Observe son travail.

Sujet	La vie sur une autre planète où les changements climatiques menacent la population
Intention	Divertir tout en soulevant des questions sur les enjeux environnementaux
Public cible	Des élèves de mon âge ou plus âgés
Forme du texte	Récit de science-fiction

La structure du texte
J'ai commencé le récit par un dialogue pour capter l'attention des lecteurs et lectrices.

Le style et la voix
J'ai raconté l'histoire à la première personne pour créer un sentiment d'urgence.

La fluidité des phrases
J'ai varié la longueur des phrases pour rendre l'histoire plus fluide.

L'IMAGE-MIROIR
par Alexandra del Rio

— Que disent les capteurs aujourd'hui ?

La question posée par Bosendorfer, le chef de notre malheureuse expédition, m'est adressée.

Je me lève et je regarde les survivants de notre équipage. Nous sommes rassemblés dans le Fabgloo, l'igloo préfabriqué que la Terre nous a livré il y a de cela cinq longues années. Je vois l'anxiété pointer dans chacun des visages et j'aimerais dire quelque chose pour rassurer les gens. Malheureusement, les nouvelles sont mauvaises.

— Les capteurs confirment ce que la docteure Tremain nous a annoncé avant de mourir, leur dis-je, en essayant de maîtriser ma voix. La planète se refroidit de plus en plus et à un rythme alarmant. Il est impossible d'inverser le processus.

La vie sur cette planète semblait pourtant si douce quand nous y sommes arrivés. Nous avions quitté la Terre. Les effets climatiques avaient fait augmenter le niveau des océans et toutes les villes côtières étaient immergées. Sur cette nouvelle planète, la pollution a eu l'effet contraire. En bloquant les rayons du Soleil de la galaxie, elle a fait baisser graduellement la température, entraînant la disparition de centaines d'espèces animales et végétales.

— Que faut-il faire ? Serons-nous les prochaines victimes ? demande Bosendorfer.

J'avale avec peine avant de répondre. Il n'appréciera pas ce que je vais dire.

Écris un récit de science-fiction.

POUR T'AIDER...

- Fais le plan de ton récit avant de rédiger ton brouillon.
- Utilise des figures de style pour aider ton public à imaginer ton histoire.
- Lis ton histoire à voix haute pour vérifier la fluidité des phrases.
- Modifie les phrases au besoin ou combine-les pour créer des effets de style.
- Demande une rétroaction, puis corrige ton brouillon au besoin.

À ton tour d'écrire un récit de science-fiction.

Pour t'aider, pose-toi les questions suivantes :

- À quelle époque mon histoire se déroulera-t-elle ? dans un futur lointain ? dans le passé ?
- Où mon histoire se déroulera-t-elle ? sur une autre planète ? dans une autre dimension ?
- Qui sera le personnage principal ? Quels seront ses étranges pouvoirs ?
- Quelles connaissances scientifiques ou technologies de pointe vais-je intégrer à mon histoire ? Comment ?

Fais le plan de ton récit en notant tes idées dans un organisateur graphique.

Situation de départ (Quel est le contexte : les personnages, leurs caractéristiques, où, quand ?)	Élément déclencheur (Quel événement vient changer la situation de départ ?)	Péripéties (Quels sont les principaux événements qui surviennent à la suite de ce changement ?)	Dénouement (Que se produit-il après ces événements ?)	Situation finale (Comment l'histoire se termine-t-elle ?)
Ex. : Des astronautes vivent sur une autre planète.	Ex. : Les conditions climatiques ne permettent pas à l'équipage d'y rester.	Ex. : La planète se refroidit de plus en plus.	Ex. : Le processus est irréversible.	Ex. : Les membres de l'équipage doivent accepter leur sort : la mort les attend...

RÉFLÉCHIS...

- Quels critères pourrais-tu utiliser pour évaluer ton récit de science-fiction ? Notes-en trois et évalue ton texte à l'aide de ces critères.
- Quel aspect de ton récit a été le plus réussi ?
- Quel aspect devras-tu améliorer ?

Si nos

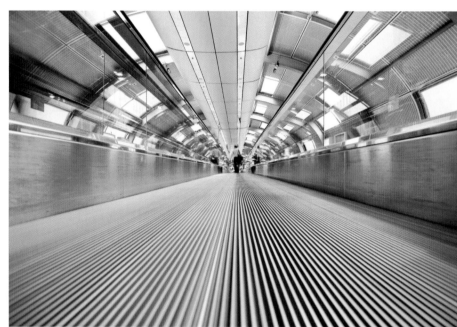

par Émile St-Pierre

Prépare-toi !

- Fais des liens. As-tu déjà lu des poèmes de science-fiction ? Quels récits dont l'histoire se déroule sur une autre planète as-tu déjà lus ? Quels films de ce genre as-tu déjà vus ? Quel endroit aimerais-tu visiter dans l'espace ?

- Pose des questions. À quoi la vie pourrait-elle ressembler sur une autre planète ? Quelles questions pourrais-tu te poser sur l'air, l'eau, le sol ?

armes
moléculaires...

Si nos armes moléculaires
Grandissaient, avaient et mangeaient,
Vivrions-nous avec de l'air ?
Mourrions-nous des balles ou des jets ?

Grandissaient, avaient et mangeaient,
Adieu Passé, c'est notre tour.
Mourrions-nous des balles ou des jets ?
Nous faisons la Guerre de nos tours.

Adieu Passé, c'est notre tour.
Les voitures sont toutes détruites,
Nous faisons la Guerre de nos tours.
Des explosions : de une à huit.

Les voitures sont toutes détruites.
Tous les gens étaient xénophobes !
Des explosions : de une à huit
Se sont manifestées sur le globe.

Tous les gens étaient xénophobes.
Maintenant, les voitures volent !
Se sont manifestées sur le globe,
Les expérimentations de vol.

Maintenant, les voitures volent !
La population vit sous terre,
Les expérimentations de vol
Sont trop perfides et éphémères.

La population vit sous terre,
Les gens qui, mourant sous la Terre,
Sont trop perfides et éphémères.
Si nos armes moléculaires…

Réagis au texte.

1. Selon toi, est-ce facile d'écrire un pantoum ? En quoi cela consiste-t-il ? Qu'est-ce qui rend ce genre de poème intéressant ? Discute de ta réponse avec un ou une camarade.

2. Avec un ou une camarade, trouvez des photos ou d'autres éléments visuels qui pourraient illustrer ce poème et faites-en un collage. Présentez votre collage à une autre équipe en expliquant votre choix d'éléments visuels.

Enrichis ton vocabulaire.

3. Relève des mots du poème qui contiennent des sons semblables et qui assurent la rime. Trouve d'autres mots qui pourraient servir à remplacer ces mots dans le poème.

COFFRE À OUTILS
COMMUNICATION ORALE

Les personnes qui créent du slam ou du rap produisent des images avec des mots. Avec un ou une camarade, présente ce pantoum ou un autre poème de ton choix sous la forme d'un rap ou d'un slam. Pensez à la manière dont vous pourriez utiliser vos voix lors de la présentation. Accompagnez votre présentation d'éléments visuels. Pour créer l'ambiance désirée, insérez-y des effets sonores ou de la musique.

Créer une saynète et la présenter

Les récits sont souvent portés au théâtre, à la télé ou au cinéma. Grâce à ces adaptations, les personnages s'animent, ce qui peut aider le public à mieux comprendre les conflits qui les déchirent.

Une saynète est une courte pièce de théâtre. C'est une façon de donner vie aux événements et aux personnages d'une histoire, au théâtre ou au cinéma.

Démarche

- En équipe de deux ou plus, choisissez une partie d'un récit de ce module ou d'un autre récit de votre choix.
- Définissez le portrait que vous allez faire des personnages (caractéristiques physiques, habillement, démarche, traits de caractère, qualités, etc.).
- Attribuez les rôles aux membres de l'équipe.
- Discutez de la façon dont les personnages vont bouger, parler et interagir, puis préparez votre scénarimage (scénario en images).
- Dressez la liste des accessoires qui peuvent accompagner le récit.
- Répétez votre saynète avant de la présenter au public, pour que votre jeu soit naturel et réaliste.

POUR T'AIDER...

- N'oublie pas de projeter ta voix pour que le public t'entende bien.
- Utilise un ton expressif pour bien rendre la personnalité de ton personnage.
- Change l'expression de ton visage et fais des gestes qui communiqueront les pensées et les émotions de ton personnage au public.
- Note des mots clés sur une fiche que tu pourras consulter d'un coup d'œil, au besoin.

En petit groupe, prépare et présente une partie d'un récit de science-fiction sous forme de saynète.

■ Après la présentation de votre saynète à la classe, invitez les autres élèves à vous faire part de leurs commentaires.

RÉFLÉCHIS

■ En quoi le fait de participer à la mise en scène a-t-il été utile pour mieux comprendre l'histoire ?

■ Quelles techniques de mise en scène t'ont paru les plus efficaces (ex. : projection de la voix, gestes et mimiques, musique de fond, effets sonores) ?

■ Que ferais-tu différemment la prochaine fois ?

À : mathieu@ocjccoco

Objet : travail d'équipe

Salut Mathieu,

Comment vas-tu ? Est-ce que tu avances de ton côté dans notre travail *Quand la technologie s'inspire de la nature* ? Moi, je suis allée à la bibliothèque de mon quartier hier pour consulter certains ouvrages de référence et vérifier des renseignements que nous avions trouvés dans Internet. Tu sais quoi ? Cela en valait le déplacement ! J'ai découvert que nous avions fait une erreur quant à la date à laquelle le Suisse Georges de Mestral a inventé la bande velcro. De plus, j'ai trouvé de l'info super intéressante sur l'invention d'une microfibre antidérapante inspirée du gecko. C'est fascinant !

Comme tu le sais, à la fin de notre travail de recherche, nous devrons fournir une bibliographie. Nous savons tous les deux qu'il s'agit de la liste des ouvrages que nous avons consultés, mais nous ne savons pas trop comment ça se présente. J'ai demandé au bibliothécaire s'il existait des ouvrages pour nous guider en ce sens. Il y en a plein !

Voici d'ailleurs un exemple de bibliographie fictive. Les noms et les titres sont fictifs. Mais que veux-tu…? Je nous imagine déjà auteurs et célèbres !

Tu trouveras, dans l'ordre, les éléments à citer pour chaque livre. Observe bien la ponctuation. Les sources sont placées dans l'ordre alphabétique du nom d'auteur.

CHARLAND, Justine, et Mathieu SAVARD. *Tout sur l'invention de la bande velcro*, Floreville, Éditions des As, 2010, 96 p.

SAVARD, Mathieu. *Le gecko ignore les lois de la gravité*, Winnipeg, Les éditions Sous la loupe, 2011, 286 p.

– Nom de l'auteur en majuscules, virgule suivie du prénom (voir l'exemple fourni plus haut pour les ouvrages qui comptent deux auteurs) et d'un point.
– Titre de l'ouvrage en italique suivi d'une virgule.
– Lieu de publication suivi d'une virgule.
– Maison d'édition suivie d'une virgule.
– Année de publication suivie d'une virgule.
– Nombre de pages suivi d'un point.

P.-S.: On se rencontre toujours demain après-midi ?

À demain !
Justine

Réagis au texte.

1. Avec un ou une camarade, imagine que tu dois effectuer un projet de recherche. Écrivez une marche à suivre pour y arriver.

2. En équipe, préparez une bibliographie d'ouvrages de référence qui pourrait servir à effectuer une recherche sur le sujet suivant: comment la technologie s'inspire parfois de la nature.

Enrichis ton vocabulaire.

3. Le préfixe *biblio-* signifie «livre». En quoi ce préfixe peut-il t'aider à trouver la signification des mots suivants ?
   – bibliobus
   – bibliographie
   – bibliothèque
   – bibliophile
   – bibliomanie
   – bibliographe

Note tes définitions sur une fiche et compare-les avec celles d'un ou d'une camarade.

COFFRE À OUTILS
MÉDIA

Les romans de science-fiction sont souvent portés au petit ou au grand écran. Quels moyens les médias utilisent-ils pour promouvoir un roman ou un film ?

■ Travaille avec un ou une camarade. Concevez une publicité imprimée ou en ligne pour promouvoir un film ou un roman de science-fiction de votre choix. Captez l'attention des lecteurs et lectrices grâce à la mise en pages, aux styles de police et aux couleurs. Intégrez un slogan à votre publicité.

Analyser et créer un scénarimage

Les personnes qui assurent la réalisation de films recourent souvent au scénarimage pour planifier les scènes. Ils y notent les détails liés au décor, aux accessoires et au comportement des personnages, de même que les divers angles de prise de vue de caméra à privilégier. Le scénario illustré permet aux membres de l'équipe de tournage de planifier et de visualiser la façon dont l'histoire sera tournée, et d'en discuter. Cette technique est très importante dans la réalisation de films de science-fiction. Observe le scénarimage suivant.

1 GROS PLAN

Le casque de Benjamin. La surface rocailleuse de Mars se reflète dans la visière. On entend ronfler le moteur du véhicule tout-terrain.

2 PLAN MOYEN

Ce que voit Benjamin. Son père lui fait signe de le rejoindre.

3 PLAN D'ENSEMBLE

Benjamin et ses parents au bord du canyon, regardant la vaste étendue.

4 GROS PLAN

Drapeau rouge. Le son du drapeau qui claque au vent.

Quelle vision de Mars la personne chargée de la réalisation a-t-elle voulu donner ?

À quel public (âge, culture, sexe) ce film a-t-il des chances de plaire ?

Pourquoi avoir choisi ces angles de prise de vue ?

Littératie en action

Fais preuve d'esprit critique. Avec un ou une camarade, crée un scénarimage pour une scène d'un récit de science-fiction. Donnez suffisamment de renseignements pour que le scénarimage puisse être utilisé au moment de la réalisation du film.

Analyser et créer un scénarimage

Comment représenter la scène choisie dans un scénarimage ?

- Divisez la scène que vous avez choisie en séquences, et décrivez chacune en quelques mots (personnages, accessoires, action, etc.).

- Dans chaque case, dessinez un croquis de la scène que vous voulez filmer et prévoyez les angles de prise de vue (plan moyen, plan d'ensemble, gros plan, plan en plongée, en contre-plongée).

- Dessinez les personnages, avec suffisamment de détails pour qu'on puisse en reconnaître l'âge, le sexe, le style de vêtements, etc.

- Indiquez les mouvements des personnages (où ils doivent aller et de quelle façon). Utilisez des flèches pour indiquer où ils doivent se rendre ou comment ils doivent bouger.

- Faites une distinction entre le dialogue et les directives à suivre.

- Décrivez la musique et les autres sons (par exemple, la chanson thème ou la sirène d'une ambulance).

POUR T'AIDER...

- Revois le scénarimage de la page précédente et inspire-toi de ce modèle pour créer le tien.
- Demande-toi si tu as prévu tout le matériel et les accessoires nécessaires.
- Fais relire ton travail afin de t'assurer qu'il sera bien compris.

- Jouez la scène décrite dans le scénarimage.
- Demandez à une personne de filmer la scène.
- Visionnez la scène et suggérez des façons d'améliorer votre scénarimage.

RÉFLÉCHIS...

En quoi les stratégies que tu as utilisées pour lire un scénarimage sont-elles semblables à celles que tu utiliserais pour lire une bande dessinée ? Justifie ta réponse.

LA RIVIÈRE QU'APPELLE

par Michel Savage et Germaine Adolphe

La rivière Qu'Appelle traverse la province de Saskatchewan, en passant au nord de Regina, au centre du Canada. Elle serpente dans la plaine, creusant la vallée du même nom et reliant de nombreux lacs. Le nom français de la rivière ramène à une époque où les Premières Nations utilisaient souvent le français comme langue seconde.

Au début du XIXᵉ siècle, les guerres s'étaient apaisées et de nombreux voyageurs français avaient épousé des Autochtones. C'était l'origine des Métis. Ils ont peuplé une grande partie de l'Ouest canadien.

Le Métis Daniel Harmon travaillait pour la North West Company [la Compagnie du Nord-Ouest]. En 1804, il a raconté l'histoire de Souwangesheick, l'homme le plus triste du monde, à qui la rivière Qu'Appelle doit son nom.

Le jeune Souwangesheick était le meilleur chasseur de la région des lacs. Puissant comme un taureau et agile comme un chevreuil, il convoitait Tipiskâw Pîsim depuis toujours. Enfant, il avait découvert dans les yeux de Tipi une promesse de sérénité absolue. Il l'aimait, tout simplement.

Plusieurs printemps s'étaient écoulés et Sou était amoureux fou. Durant ces longues années d'attente, il n'avait jamais embrassé Tipi. Tout au plus avait-il caressé la paume de sa main. Pourtant, tous les membres de la tribu savaient que Tipi était sa promise.

Prépare-toi !

- Fais des liens. Quelles légendes as-tu déjà lues ?

- Utilise tes connaissances. Qu'est-ce qu'une légende ? Connais-tu l'origine du nom de ta municipalité, de ta province ou de ton pays ? Pourquoi est-ce amusant de connaître l'origine de certains lieux (la toponymie) ?

Littératie en action

Avant son départ, elle lui avait dit:

— Pars chasser au-delà des lacs et rapporte toutes les peaux dont nous aurons besoin pour notre tente. Quand l'été indien aura passé et que les feuilles auront quitté leurs branches, je deviendrai ton épouse.

Sou était parti le cœur enflammé d'amour. Tout l'été, il avait chassé le castor, l'orignal et la loutre. L'automne était arrivé, et il avait rempli son canot de viande séchée et de peaux magnifiques. Il pouvait enfin rentrer chez lui.

Bientôt, sa bien-aimée serait dans ses bras et ferait de lui l'homme le plus heureux du monde.

Brûlant d'impatience, le jeune chasseur a pagayé pendant des jours et des nuits sans manger ni dormir. Tout juste prenait-il le temps de boire un peu de l'eau de cette rivière qui le conduirait au bonheur promis.

Le canot avançait doucement, accompagné d'un tintement d'eau à peine perceptible. Sou ramait en pensant à Tipi, à son regard candide, à son sourire coquin. Il adorait tout en elle, de son rire enfantin, franc et spontané, à ses adorables grimaces boudeuses. Il était devenu si distrait et fatigué qu'il échouait son embarcation régulièrement sur la rive boueuse.

Puis une nuit, alors que la lune venait juste d'apparaître à l'horizon, un bruit inhabituel a attiré son attention. Il a arrêté de pagayer, laissant le canot glisser en silence sur l'eau calme. Il a retenu son souffle et a tendu l'oreille.

Le vent a caressé sa nuque et il a cru entendre:

— Souwangesheick…

Quelqu'un l'appelait. Une voix douce, une voix de femme qui venait de partout et de nulle part.

Surpris, il a demandé :

— *Kâ-têpwêt*? Qu'appelle?

Il a alors tendu de nouveau l'oreille, mais n'a perçu que le clapotis de l'eau, le souffle du vent et l'écho de sa question.

Il a répété :

— Qu'appelle?

Cette fois, la voix a répondu clairement :

— Souwangesheick, Souwangesheick…

Il a crié de nouveau :

— Qu'appelle?

La forêt a répété sa question mille fois, tels mille perroquets :

— Qu'appelle! Qu'appelle! Qu'appelle! Qu'appelle!

Puis, l'écho a subitement cessé et les hiboux se sont mis à hululer. À l'est, la lune blafarde qui grimpait dans le ciel avait l'allure d'un spectre porteur de mauvais présages. Saisi soudain de frissons, Sou s'est remis à pagayer furieusement. Il a lancé son canot dans la nuit et est arrivé au village peu avant le lever du soleil. Le ciel était déjà rose. Sur la rive brûlait le feu d'un rituel funéraire.

Sou a aussitôt senti l'inquiétude l'envahir. Il a inspiré profondément et a avancé lentement vers le groupe massé près du feu. Des personnes criaient et d'autres se lamentaient, tandis que le chaman brandissait son hochet autour d'un corps étendu sur une peau d'ours.

En s'approchant, Sou a vu son père et sa mère qui le regardaient tristement. Il a reconnu les parents de Tipi, près du corps allongé. Une flèche brûlante a transpercé son cœur. Sa bien-aimée avait rejoint ses ancêtres.

Il a appris qu'avant de rendre son dernier souffle, juste au lever de la lune, Tipi l'avait appelé. Elle avait d'abord murmuré son nom, puis l'avait répété deux fois.

L'amour de Sou pour Tipi a été éternel. Jamais il n'a pris femme. Jamais plus il n'a souri. Toute sa vie, il a attendu que la mort les réunisse, lui et la belle et merveilleuse Tipi.

Devenu vieux et sentant sa dernière heure arriver, Souwangesheick est parti sur son canot et a disparu à jamais.

Au dire des Autochtones et des voyageurs, il arrive souvent que sur la rivière, au lever de la lune, on entende la voix du chasseur crier : « Qu'appelle ? »

Source : Michel SAVAGE et Germaine ADOLPHE, *L'Amérique en contes et légendes*, Montréal, Les Publications Modus vivendi inc., 2008, p. 44 et 47.

Réagis au texte.

1. Raconte dans tes mots à un ou à une camarade la légende que tu viens de lire. Comment peux-tu utiliser ta voix pour capter l'attention de ton auditeur ou auditrice ?

2. En équipe, discutez des aspects les plus importants à respecter lorsqu'on écrit une légende. Ensuite, choisissez une légende et écrivez-en une version personnelle.

Enrichis ton vocabulaire.

3. Les mots de la langue française ont en général plusieurs sens. Le sens *propre* d'un mot est sa signification courante. Le sens *figuré* d'un mot permet de visualiser le texte. Pour connaître le sens figuré d'un mot, tu peux consulter un dictionnaire. Lorsque la définition est précédée de l'abréviation *fig.*, c'est que le sens est figuré. Trouve le sens propre et le sens figuré des mots suivants.
   – épouser
   – souffle
   – horizon
   – brûler

   Rédige ensuite six phrases dans lesquelles tu utiliseras ces mots dans leur sens propre et figuré.

COMPARER DES TEXTES

Une légende est un genre littéraire issu de la tradition orale. Ce genre de récit a été créé à partir de faits historiques. Dégage la structure de cette légende. En quoi une légende est-elle semblable à un récit de science-fiction ? En quoi est-elle différente ? Discutes-en avec un ou une camarade.

Créer un scénario

L'imaginaire occupe souvent une place importante dans l'univers des romans et des films de science-fiction. Les similitudes et les différences avec la réalité y sont souvent mises en évidence.

Avec un ou une camarade, crée et présente un scénario qui pourrait servir de canevas à une nouvelle collection de romans de science-fiction destinés aux ados.

Scénario

Les personnages de MondeFutur

Galen et Ella: Un frère et une sœur cherchent leurs parents. Quand ils étaient petits, leurs parents sont partis en mission pour trouver le portail de la Terre. Ils ne sont jamais revenus. Galen et Ella sont convaincus que leurs parents ont découvert le portail, mais qu'ils n'ont pas pu revenir sur MondeFutur.

Nolog: La chef de la TechForce. Elle veut que tous

Précision

MondeFutur est une planète qui existe dans un autre univers. Le réchauffement climatique l'a presque détruite. Les êtres humains qui y vivent encore tombent graduellement sous l'emprise de la TechForce.

Avant de commencer, réfléchis à ce que tu as lu et à ce dont tu as discuté dans ce module.

Sujet	*Un univers imaginaire*
Intention	*Proposer des idées pour une nouvelle collection de romans de science-fiction*
Public cible	*Mes camarades de classe, les ados*
Forme du texte	*Scénario pour la création d'une collection de romans de science-fiction (comprenant des fiches descriptives des personnages, des lieux et un scénarimage)*

PLANIFIEZ VOTRE SCÉNARIO.

- Déterminez les tâches de chaque élève et la manière dont vous allez présenter votre scénario.

- Trouvez des façons de rendre votre nouvelle collection intéressante et amusante pour votre public cible.

- Faites un remue-méninges pour déterminer le sujet de chaque roman de votre collection (ex. : la situation de départ, l'élément déclencheur, les péripéties, le dénouement, la situation finale).

- Choisissez un de ces romans et créez une fiche descriptive pour chaque personnage (caractéristiques physiques, âge, sexe, etc.). Précisez le milieu où l'histoire se déroule (endroit, époque, ambiance, etc.).

- Créez le scénarimage du roman choisi.

- Présentez votre première ébauche de travail à une autre équipe afin de recueillir des commentaires. Apportez des changements à votre scénario, au besoin.

EN PLUS...

- Préparez un balado décrivant les personnages de votre nouvelle collection de science-fiction.

- Quand vous réalisez le scénarimage, profitez-en pour faire un croquis du personnage d'un côté de sa fiche descriptive, et notez sa description de l'autre.

POINTS À SURVEILLER

- Des personnages susceptibles d'intéresser votre public cible
- Des descriptions imagées, claires et précises
- Des exemples convaincants

PRÉSENTEZ VOTRE SCÉNARIO.

- Présentez votre scénario en recourant à vos fiches descriptives et à votre scénarimage.

- Demandez l'opinion des élèves sur votre collection. L'achèteraient-ils ? Pourquoi ?

RÉFLÉCHIS.

- Quel aspect de ta présentation a été le plus convaincant ?

- Quelles activités dans ce module ont été les plus utiles pour accomplir ce travail ?

Ton portfolio

- Choisis deux ou trois productions que tu as faites au cours du module et qui montrent bien ce que tu as appris.

- Présente-les à ton enseignant ou à ton enseignante, à ta famille et à tes camarades.

SOURCES DES DOCUMENTS

MANUEL DE L'ÉLÈVE B

PHOTOGRAPHIES

ALAMY : 1re de couverture (b) : Carol et Mike Werner ; p. 60 : PCN Photography ; p. 79 (h) : RIA Novosti ; p. 80 (h) : Pictorial Press Ltd ; p. 80 (b) : Photos 12 ; p. 94 : Gallo Images, Huisgenoot ; p. 118 : Pictorial Press Ltd. **AMREF CANADA :** p. 57 (d) et 57 (b). **BIBLIOTHÈQUE ET ARCHIVES CANADA :** p. 53 (b) : C-019944. CORBIS : 1re de couverture (c) et 4^e de couverture (h) : Erik Isakson ; p. 32 : V. Prakash, Reuters ; p. 56 : P. Price, Reuters ; p. 57 (g) : V. Xhema, epa. **CP IMAGES :** p. viii (h), 48 (h) et 51, 73, 77, 83 (t, c) ; p. 33 : D. Papadopoulos ; p. 55 (d) : T. Grimshaw ; p. 63 (d) : R. Lam ; p. 87 : L. MacDougal. **DANIEL DALET :** p. 69. **LES DÉBROUILLARDS :** p. 82 (g). **DÉPARTEMENT DE LA DÉFENSE NATIONALE :** p. 68. **DEVIANTART :** p. 8, 10, 12, 14, 16 (g) : pictogrammes. **DOMAINE PUBLIC :** p. ix (h) et 70 (h) ; p. ix (h) et 70 (c) ; p. ix (h) et 71 ; p. 78 (b) ; p. 79 (c). **DREAMSTIME :** p. 49 (h) : Zatletic. **GETSTOCK :** p. 59 (d) : Toronto Star ; p. 61 (g) et 61 (c) : S. Russel, Toronto Star. **GETTY IMAGES :** p. viii (h) et 50 (c) : B. Gossage, NBAE ; p. 59 (g) : J. Lampen, AFP ; p. 72 : D. Berry, PhotoLink. **ISTOCKPHOTO :** 4^e de couverture (b, c), p. v, vii (h) et 46-47 : P. Pantazescu ; 4^e de couverture (b, d), p. vi, 96-97 et 100, 122, 126, 130 (t, g) : F. Möckel ; p. vii (b) et 98-99 (f) : Simfo ; p. vii (b) et 99 (b) : J. Tromeur ; p. viii (h), 48 (c, g) et 50-51, 72-73, 76-77, 82-83 (t) : C. Rogers ; p. viii (h), 48 (b) et 50, 72, 76, 82 (t, g) : D. Bayley ; p. viii (h), 49 (b) et 51, 73, 77, 83 (t, d) : A. Dracup ; p. ix (b), x (b), 4 (c, g) et 6-7, 26-27, 30-31, 34-35 (t) : Leluconcepts ; p. ix (b), x (b), 4 (b, g) et 7, 27, 31, 35 (t, d) : vm ; p. ix (b), x (b), 4 (b, d) et 7, 27, 31, 35 (t, c) : J. Wiberg ; p. ix (b), x (b), 5 (b) et 6, 26, 30, 34 (t, g) : M. Gajic ; p. ix (b) et 26 (b) : L. Gagné ; p. ix (h) et 66-67 : K. Hanke ; p. ix (h) et 67 à 71 (f) : B. Noll ; p. ix (h) et 70 (b) : D. Naylor ; p. x (b) et 34 : Juanmonino ; p. x (h) et 124 (h) : Nikada ; p. x (h) et 124 (c) : Mlenny ; p. x (h) et 124 (b) : B. Gunem ; p. 1 (h) et 38-39 (f) : S. Tsololo ; p. 4 (h) : Porcorex ; p. 6 (h, g) et 7 : M. Makela ; p. 9 (h) : vndrpttn ; p. 17 (h) : Dem10 ; p. 18 : L. C. Torres ; p. 19 (g) : C. Yeulet ; p. 19 (d) : M. Gajic ; p. 20 (b) : R. Churchill ; p. 21 (b) : C. Schmidt ; p. 22 : D. Vernon ; p. 23, p. 24 (h), 25 (h) et 25 (b) : apcuk ; p. 24 (b) : T. Levstek ; p. 36 : C. Singleton ; p. 37 (b) : pagadesign ; p. 48-49 (f) : HannamariaH ; p. 48 (cadre, h) : M. Luzanin ; p. 53 (d) : C. Hansen ; p. 74-75 : R. Mansi ; p. 78 (h) et 81 (b) : E. Isselée ; p. 79-80 (f) : T. Keith ; p. 79 (b) : A. Sokolov ; p. 80 (c) : R. Klebsattel ; p. 84 (h, g) : O. Blondeau ; p. 84 (h, d) : Y. Popkova ; p. 85 (h) : U. Le ; p. 85 (c) : A. E. Birer ; p. 85 (b) : J. Chen ; p. 117, 118 et 120 (f) : S. Nokolic ; p. 119 : C. Proulx ; p. 120 (b, g) : C. A. Matei ; p. 120 (b, d) : Mathieukor ; p. 132 (h) et 132 (b) : Mecaleha ; p. 133 (b) : J. Felton ; p. 134 (b) : J. Speckels. **JUPITER IMAGES :** p. 9 (c, h) : ThinkStock ; p. 9 (c, b) : BananaStock ; p. 15 (bannière de la page Internet, de gauche à droite) : Goodshoot ; ThinkStock ; BananaStock ; Goodshoot ; BananaStock. **THE KOBAL COLLECTION :** p. 120 (h) : Paramount Television ; p. 121 : 20th Century Fox, Digital Domain. **NOVA SCOTIA ARCHIVES AND RECORDS MANAGEMENT :** p. 52 : 230.1, N-6198 ; p. 53 (g). **ONU :** p. 58. **ONZE MONDIAL :** p. 82 (d). **PROVINCE OF BRITISH COLUMBIA :** p. 64-65 (b) : Tous droits réservés. Reproduit avec la permission du gouvernement de la Colombie-Britannique. **RÉSEAU ÉDUCATION-MÉDIAS :** p. 20 (h) ; p. 20 (c) ; p. 21 (h), © 2010, reproduit avec permission. **RYAN'S WELL FOUNDATION** (www.ryanswell.ca) : p. 54 ; p. 55 (g). **SHUTTERSTOCK :** 1re de couverture (h) et 4e de couverture (g) : Masterfile ; 4e de couverture (b, g), p. iv et 2-3 : iDesign ; p. vii (b) et 98-99 (f) : Eky Studio ; p. vii (b), 98 (h) et 101, 123, 127, 131 (t, d) : L. Peers ; p. vii (b), 98 (b) et 101, 123, 127, 131 (t, c) : A. Harburn ; p. vii (b), 99 (h) et 100-101, 122-123, 126-127, 130-131 (t) : Aperium ; p. viii (h) et 50 (h, g) : J. Tromeur ; p. viii (h) et 50 (h, d) : Touring ; p. viii (h) et 50 (b) : A. Papantoniou ; p. ix (b) et 26 (h) : D. Terentjev ; p. 4-5 (f) : K. Pargeter ; p. 4 (c, d) : Dgrilla ; p. 5 (h) : Vladru ; p. 6 (d) et 8 (h, d) : P. Gudella ; p. 10 (h, d) : Bet Noire ; p. 12 (h, d) : Asiana ; p. 14 (h, d) : G. Erwood ; p. 16 (h, d) : L. Reitz ; p. 28-29 ; p. 44 (icônes) : D. Pyzhova ; p. 61 (d) : O. Besnard ; p. 81 (h) : JustASC. **VANCOUVER BOARD OF TRADE :** p. 62 : Gracieuseté de G. Clarke. **VANCOUVER SUN:** p. 64 (h) : M. Van Manen. **VEER:** p. 8, 10, 12, 14, 16 (h, g) : Photodisc; p. 13 (c) : R. Kerian.

ILLUSTRATIONS

Deborah Crowle: p. 63 (g). **Sylvain Frecon:** p. 88 à 93. **Tina Holdcroft:** p. x (b) et 31; p. 77; p. 127. **Stéphane Jorisch:** p. 1 (h), 38, 40 et 42. **Stephen MacEachern:** p. 1 (b), p. 9 (b), 11 (h et b), 13 (h et b), 15 (b), 17 (b) et 136. **Jean Morin:** p. 112 à 116. **Martin Roy:** p. 130. **Éric Thériault:** p. viii (c et b), 102, 104, 106, 108 et 110. **Sue Todd:** p. 132 à 135 (f).

TEXTES

P. 28-29: DUNAJEWSKI, Charles. «Nature», dans *Les poètes de l'an 2000*, poèmes réunis par CHARPENTREAU, Jacques, Paris, © le Livre de Poche Jeunesse, 2000, 218 p. **P. 38 à 43:** SIMD, Danielle. *La prophétie d'Orion*, Saint-Alphonse-de-Granby, Éditions de la paix, 2001, 156 p. **P. 88 à 93:** GENSEN, Cathy. *Avis de tempête, 6 histoires de sauvetage*, Paris, © Fleurus Éditions, 2000, 180 p. **P. 98 (h):** DUHAIME, André. *Automne! Automne!*, Saint-Boniface, Éditions des Plaines, 2002. **P. 98 (b):** DUHAIME, André. *Bouquets d'hiver*, Saint-Boniface, Éditions des Plaines, 2002. **P. 99:** DUHAIME, André. *Châteaux d'été*, Saint-Boniface, Éditions des Plaines, 2003 (Les Éditions Asticou, 1990). **P. 100:** Traduction libre. © SAWYER, Robert J. *Stream of Consciousness*, 1999. **P. 112 à 116:** © PARENTEAU, François. «Réussir à rater son coup!», dans DESLAURIERS, Lynne, et Nicole GAGNON, *Capsule 6, Manuel A*, Mont-Royal, Groupe Modulo, 1997, pages 109 à 111. Cet extrait a été reproduit aux termes d'une licence accordée par Copibec. **P. 132 à 135:** SAVAGE, Michel, et Germaine ADOLPHE. *L'Amérique en contes et légendes*, Montréal, Les Publications Modus Vivendi inc., 2008, 256 p.